P9-CEV-705

Los secretos de un parto feliz

MARTA ESPAR

Los secretos de un parto feliz

Ayuda a tu hijo a nacer de forma segura y sana

Grijalbo

El papel utilizado para la impresión de este libro ha sido fabricado a partir de madera procedente de bosques y plantaciones gestionadas con los más altos estándares ambientales, lo que garantiza una explotación de los recursos sostenible con el medio ambiente y beneficiosa para las personas.

Por este motivo, Greenpeace acredita que este libro cumple los requisitos ambientales y sociales necesarios para ser considerado un libro «amigo de los bosques». El proyecto «libros amigos de los bosques» promueve la conservación y el uso sostenible de los bosques, en especial de los bosques primarios, los últimos bosques vírgenes del planeta.

Primera edición: enero, 2011

Printed in Spain – Impreso en España

ISBN: 978-84-253-4562-3
Depósito legal: B-42976-2010

Compuesto en Anglofort, S. A.

Impreso en Limpergraf
Pol. Ind. Can Salvatella, c/ Mogoda, 29-31
08210 Barberà del Vallès

Encuadernado en Reinbook

G R 4 5 6 2 3

A Judit, Guillem, Ariadna y Franc

Índice

Prólogo 11

Introducción
La historia de Isabel o por qué es más seguro respetar la fisiología del parto 15

1. Nuevos roles. Las matronas asisten el parto normal ... 27

2. El cambio social en Europa. Las mujeres se organizan en asociaciones 47

3. Fases del parto. Respetar los tempos 65
3.1. Trabajo de parto. Cómo favorecer la dilatación .. 75
3.2. Dar a luz. La mujer elige la postura que le es más cómoda 81
3.3. Expulsar la placenta. Esperar o no 91

4. Aliviar el dolor. De menos a más 99
4.1. Apoyo emocional, acompañamiento profesional 104
4.2. El poder de las hormonas, en condiciones de intimidad 121

4.3. Tratamientos complementarios: de la libertad de movimientos a la bañera 126
4.4. La analgesia epidural. Beneficios y efectos secundarios 133

5. ¿Dónde dar a luz? El entorno del parto 145
5.1. En el hospital, como en casa 148
5.2. En el agua, un placer 158
5.3. En casa. La seguridad a debate 163

6. Cesáreas. Ni una más de las necesarias 181

7. Partos instrumentados: fórceps y ventosas 197

8. Tras el nacimiento, en brazos de mamá 213
8.1. Contacto precoz y lactancia materna, desde la primera hora 214
8.2. Nacer antes de tiempo. La acción terapéutica del Método Canguro 231

9. ¿Quién decide? El protagonismo de madres y padres 239
9.1. Lo que dice la ley. Autonomía e información para las mujeres de parto 243
9.2. La participación, una realidad en el marco institucional 260
9.3. Plan de Parto, un documento de preferencias ... 266

10. Para saber más. Otros libros, páginas web y artículos científicos 271

Agradecimientos 299

Prólogo

UN SUEÑO

Si tienes un sueño persistente... es bueno escucharlo con mucho cariño. Siempre tendrá cosas importantes que revelar. Mas no tengas prisa.

Y si sientes un deseo insoportable de contarlo, pon mucho cuidado. Muchos sueños no se realizaron porque los soñadores no supieron escoger a sus confidentes.

Hay confidentes que nunca soñaron. Son pocos los que saben entrar en el sueño del otro. No conocen los gestos, el lenguaje de los sueños. Los sueños nacen del corazón. Es otra cultura, no es de la cabeza. Es bueno averiguar si al posible confidente le gustan las estrellas. Si le gustan los niños, o siente placer jugando con ellos en el barro.

De lo contrario, no lo cuentes... realiza tu sueño.

Cuando Marta me pidió que escribiera el prólogo de este maravilloso libro, comencé a pensar qué tiene ella en común con todas estas personas a las que ha entrevistado, y qué comparten ellas entre sí. El poema de Dorli Signor me devolvió la respuesta: son personas que sueñan... y luchan por hacer realidad ese sueño. Algunos lo han contado, otros no lo pudieron compartir porque no tuvieron confidentes, quizá muchas fuimos castigadas por pensar diferente... pero todas y todos decidimos poner a nuestro modo un grano de arena para realizar nuestro sueño: ver un día a las madres y los bebés viviendo el nacimiento en libertad, contacto y amor, con los cuidados necesarios y la intimidad para vivenciarlo como un acto privado y familiar, seguro, vibrante, enriquecedor. Mujeres pariendo en libertad, con todo su poder, y bebés jamás separados de nuevo.

Es un sueño realmente poder leer las palabras de personas tan diferentes, unidas por un mismo objetivo, por un sueño. Que gestar, parir, nacer, amamantar con placer y dignidad ya no sea patrimonio de los hippies, de mujeres subversivas, del poder de unos o la habilidad o conocimiento de otros.

La aprobación de la Estrategia de Atención al Parto Normal del Ministerio de Sanidad de España, por representantes de cada una de las comunidades autónomas en el Consejo Interterritorial del Sistema Nacional de Salud, fue la materialización de este sueño, tras muchas reuniones y un largo y consensuado proceso en el que por primera vez en la historia nos sentábamos a dialogar y a construir juntos ginecólogos, matronas, políticos, gestores, mujeres, usuarias y usuarios de diferentes colectivos, y profesionales de tantas otras ramas del saber.

En este barco estamos todas y todos, aquellas y aquellos a quienes se pone nombre pero, sobre todo, tantas profesionales anónimas que trabajan en la callada penumbra del acompañar, en medio de la larga noche. Y cada cual ha regalado su generosa aportación a esta construcción colectiva, al desaprender los patrones ya caducos de atención y arte en el nacer: quienes desde hace décadas apostaron por una atención directa al proceso fisiológico desde la medicina y atención privada, en centros acogedores y familiares. Quienes han atendido a cientos de mujeres en su casa para un nacimiento en la intimidad con todas las garantías de seguridad. Quienes apostamos por permanecer dentro del sistema sanitario público en un intento de imaginar lo que parecía imposible hace años, cambiar las cosas desde dentro, mientras trabajar allí era a veces dejarse la piel entre contradicciones, desvelos y acusaciones. Quienes llegaron a ocupar puestos de poder y, desde ellos, no se vendieron, apostando por un mundo mejor donde nacer fuese la primera experiencia de salud y bienestar. Quienes decidieron no volver a permitir la violencia sobre sus cuerpos y sus vidas y las de sus bebés, y dedicaron días y noches en una lucha generosa, con las manos y el corazón siempre dispuestos a colaborar. Quienes, a partir de la aplicación de los programas de formación en la atención al parto normal, se han atrevido a desandar caminos, a abandonar parcelas de poder, a ponerse a disposición del bienestar y la salud de mujeres y bebés, de la futura humanidad.

Todos, a lo largo de un camino que a veces se llena de escollos, donde en ocasiones avanzar parecía retroceder, o donde el desgaste emocional era a veces un precio demasiado alto por conservar la integridad. Todos, sin dejar de creer en un sueño.

Para mí, colaborar con las mujeres y profesionales que desde el Observatorio de Salud de las Mujeres (OSM) han impulsado con toda su pasión este proyecto, ha sido un sueño apasionante; y coordinar su desarrollo, un reto en el que cada día me he sentido intensamente en deuda con todas las personas que se dejan la piel a diario, trabajando, pariendo, naciendo... y que en este libro han cedido generosamente sus testimonios.

Marta ha realizado un trabajo increíble plasmando en cada entrevista el lado más humano, comprometido y pasional de cada mujer, hombre, profesional... y, por otro lado, aportando mucha precisión al ilustrar la base científica que avala estas buenas prácticas que nos relatan sus protagonistas. Este libro es la mejor manera para entender el espíritu de cooperación que ha permitido impulsar este cambio imparable; Marta recoge en esta obra el testimonio de personas muy diversas, todas testigos y actores del cambio que permitirá a la humanidad no destruir ese primer abrazo al nacer.

PILAR DE LA CUEVA,
coordinadora científica de la
Estrategia de Salud Reproductiva del
Ministerio de Sanidad y Política Social.
Mujer, madre y ginecóloga.

Introducción

La historia de Isabel o por qué es más seguro respetar la fisiología del parto

Su nombre es Ana, pero también podría ser Raquel, Silvia o el de muchas de las otras mujeres que tendrán voz en este libro. Tiene 30 años y está embarazada de nueve meses. Empieza a sentir contracciones una noche, ya entrada la madrugada. Al ser primeriza, no sabe si son de parto. Se levanta, nerviosa, y llama al hospital. La comadrona de guardia la tranquiliza: «Es normal, no acuda hasta que éstas se repitan de forma regular, cada cinco minutos». Pero es difícil soportar un dolor desconocido con un cronómetro en la mano. Se sube al coche y se desplaza con su pareja al centro sanitario. Allí le indican que se tienda en una camilla y le colocan unas correas entorno al abdomen para monitorizar el ritmo cardíaco de su bebé: puede oír su latido acompasado. Todo está bien y la matrona le comunica que algunas contracciones son de parto, pero no todas. Sigue tumbada en la camilla. Le hacen un tacto vaginal y comprueban que está de tan sólo dos centímetros. El cuello del útero tiene que llegar a dilatarse hasta diez centímetros para permitir el paso de la cabecita del recién nacido.

La ayudan a levantarse, le dan una bata, le rasuran el pubis y le ponen una lavativa. El dolor de las contracciones se multiplica. Luego le ordenan que se vuelva a tumbar y la monitorizan de nuevo para tener controlado el corazón del bebé de forma permanente. «Mi hijo es lo primero», piensa, y se queda callada, inmovilizada, soportando un dolor insufrible. Como el ritmo de las contracciones es lento, le abren una vía intravenosa para ponerle oxitocina, un fármaco sintético idéntico a la hormona que todas las mujeres producimos cuando se respeta su fisiología, pero que eleva el ritmo de las contracciones y el malestar hasta tal extremo que pide, por favor, la asistencia del anestesista encargado de administrarle la epidural.

Con la analgesia, el proceso vuelve a la calma. Puede incluso ponerse a leer el periódico. Todos están tranquilos a su alrededor. Si tiene suerte y ni ella ni el bebé padecen ninguno de los posibles efectos secundarios de la oxitocina sintética o la anestesia epidural, cumplidos los diez centímetros la trasladarán al paritorio en camilla y, una vez allí, como no siente nada, ni siquiera las piernas, le indicarán cuándo debe empujar. Por esta razón el expulsivo será más largo. Probablemente le harán una episiotomía —incisión en el periné— para facilitar el paso de la cabeza del bebé. Le enseñarán a su hijo para llevárselo enseguida a revisión pediátrica, administrarle una pomada en los ojos y una inyección de vitamina K, lavarlo y ponerle su ropita. Expulsará la placenta, le suturarán la episiotomía y, dependiendo de los protocolos del centro, le entregarán a la criatura o los separarán durante unas horas.

Estará contenta, feliz, pero habrá sido poco consciente de los riesgos a los que se ha expuesto al desconocer los posibles efectos secundarios de todas las intervenciones a las que ha sido sometida. El permanecer tumbada sobre la espalda hace que el útero comprima los grandes vasos sanguíneos y se pueda reducir la oxigenación del bebé. La oxitocina sintética, por ejemplo, puede producir contracciones tan intensas y mantenidas que, además de poner en riesgo la integridad del útero si se alarga el período expulsivo, ocasionen pérdida del bienestar fetal. La analgesia epidural aumenta el riesgo de que sea necesario extraer a la criatura mediante una ventosa o fórceps, intervenciones que, sobre todo en el caso del fórceps, se acompañan de episiotomías amplias, representan un riesgo de desgarros y exponen la integridad del periné en el futuro. Las episiotomías no sólo producen un gran malestar, sino que pueden provocar disfunción sexual así como lesiones perineales, incontinencia urinaria y fecal a corto y largo plazo. Puede tardar días —o incluso meses— en recuperarse; cualquier actividad de la vida cotidiana se va a convertir en una tarea dificultosa. Aun así, habrá tenido suerte: muchos partos asistidos de esta forma terminan en cesárea por sufrimiento fetal o por no progresión del parto. Pero ¿cómo podía saberlo si nadie se lo había explicado? ¿Debería haber leído más libros? ¿Se puede parir de otra manera? La respuesta exige otro ejemplo, el de otra mujer, también embarazada, también de unos 30 años, que ha dado a luz en otro centro sanitario, quizá a menos de cien kilómetros de distancia. Se llama Isabel, pero podría ser Ester, Juana María o cualquier otra de las mujeres que también narran su parto en este libro. Ella sí ha leído, sí ha sido informada, porque lo ha exigido. Seguramente ha visto un documental sobre el tema en la televisión o ha tenido un obstetra o una comadrona que se ha sentado con ella y su pareja a analizar las ventajas y los inconvenientes de cada una de las intervenciones que pueden acaecer en un trabajo de parto.

También ha sentido sus primeras contracciones una madrugada, también ha llamado a la comadrona, que le ha respondido algo parecido, aunque con matices adecuados a su caso, porque ya la conoce personalmente. Cuando llega al hospital, seguramente igual de nerviosa, pues también es su primera vez, le han comunicado que las contracciones son todavía de preparto y, después de auscultarla o monitorizarla unos veinte minutos para controlar el ritmo cardíaco del bebé, la habrán alentado a levantarse y caminar por los pasillos del centro o por el parque más cercano. Incluso puede que la animen a volver a casa, para retomar el viaje cuando sienta que las contracciones se hacen más intensas y frecuentes. El proceso irá siguiendo su cauce: la libertad de movimientos permitirá que las contracciones sean más soportables y vayan aumentando a su ritmo, sin aceleraciones bruscas ni artificiales. Su cuerpo irá produciendo la oxitocina necesaria.

Volverá al hospital, donde le indicarán que se tumbe sobre la cama de su habitación para auscultar de nuevo el corazón del bebé de forma intermitente o con un monitor «a ventanas», es decir, unos veinte minutos cada hora. Luego, podrá volver a levantarse, pasear, darse una ducha o un baño de agua caliente que procuran bienestar y alivian el dolor enormemente. Si éste se percibe a la altura de los riñones, le inyectarán agua destilada o enseñarán a su compañero cómo darle masajes. En su cuarto, en condiciones de intimidad, acompañada por su pareja y una matrona, su cuerpo producirá oxitocina natural y también endorfinas, unas hormonas que tienen la función de aliviar el dolor con una potencia parecida a la de la morfina. A ratos, seguramente gritará, cambiará de posición según se sienta más cómoda, volverá a la ducha y en algún momento romperá aguas. Y así irán pasando las horas hasta que sienta unas enormes ganas de pujar y alumbrar con sus propias fuerzas a esa criatura que lleva en las entrañas.

Cuando el bebé nazca, se respetará la magia del momento: madre e hijo se reencuentran en una nueva intimidad. Se lo pondrán enseguida sobre su regazo, en contacto piel con piel, donde la criatura recibe el calor y los estímulos que necesita. Orientándose por el olfato, y gracias a los reflejos primitivos, el bebé se acercará y se agarrará al pecho de su madre espontáneamente, tal y como la naturaleza ha programado. El vínculo materno-filial se estrechará enormemente.

Las personas que atienden a la mujer y al bebé practicarán el test de Apgar y vigilarán la adaptación de la criatura recién nacida a la vida extrauterina, pero dejarán otras prácticas como la profilaxis ocular, la higiene, el peso o la administración de la vitamina K para las próximas horas. Sin episiotomía, la madre se va a recuperar en cuestión de horas, y no de días o de meses.

Menos medicalizado puede ser más seguro

El primero es un ejemplo de parto llamado «tecnológico» o «medicalizado» aquel que ha estado vigente en España en las últimas décadas y todavía sigue primando en muchos centros sanitarios. El segundo podría ser un retrato de parto «fisiológico», «normal» o «humanizado», un modelo de asistencia que se aplica desde hace años en otros países, como Inglaterra o Finlandia, y que empieza a hacerse realidad cada día en más maternidades españolas, porque viene avalado por las recomendaciones de la Organización Mundial de la Salud (OMS), el Ministerio de Sanidad y Política Social, las sociedades científicas y la evidencia científica. Parir como Isabel —es decir, como en el segundo caso— no es sólo más romántico, también es más seguro.

¿Quién quiere someterse a intervenciones innecesarias? ¿Por qué se siguen utilizando prácticas clínicas inadecuadas durante la asistencia al parto? En 1985, la OMS ya definió el parto normal en mujeres de bajo riesgo como «un evento fisiológico en el que sólo se debe intervenir cuando existen complicaciones». Más del 80% de las mujeres españolas cumplen estos requisitos y, sin embargo, en España, la tasa de cesáreas, partos instrumentados y episiotomías no ha parado de crecer en las últimas décadas. La cultura profesional imperante, las rutinas hospitalarias, la presión asistencial, las infraestructuras hospitalarias y la medicina defensiva, pero también la creencia social de que la epidural y el parto medicalizado son la mejor opción, han hecho difícil la aplicación de este modelo en las maternidades de nuestro país. Los cambios de tipo sociológico, como la edad de la madre y el aumento de los partos múltiples, han complicado la situación, aunque ambas variables también se detectan en otros países con índices de intervención mucho menores.

En Inglaterra o Finlandia, por ejemplo, se siguen las pautas de la OMS desde hace tiempo: en la mayoría de los partos en mujeres de bajo riesgo, algunas prácticas como la monitorización continua del latido fetal, que impide la libertad de movimientos de la parturienta, o la rotura de la bolsa amniótica y el uso de la oxitocina de rutina, que aceleran artificialmente las contracciones y pueden producir efectos secundarios, han sido sustituidas por otras más respetuosas con el proceso fisiológico, como la auscultación intermitente o el tratamiento del dolor con bañeras de agua caliente, inyecciones de agua destilada o analgesia epidural a dosis más bajas que le permitan mantener sensibilidad y capacidad motora. Los efectos de este cambio sobre las tasas de cesáreas, partos instrumentados y episiotomías son espectaculares.

En España, según datos del Instituto Nacional de Estadística (INE), el porcentaje de cesáreas se mantenía en 2007 en una media de entre el 22,2% en los hospitales públicos y el 36,6% en los privados. La tasa de episiotomías alcanzó el 73% en algunas regiones y la de epidurales no se recogía en el Sistema de Información Sanitaria (SIS), pero se ha venido incentivando como objetivo deseable. La mortalidad perinatal se situaba justo por debajo del 5‰ de nacimientos. La edad media de la mujer primípara superaba la barrera de los 30 años.

En Finlandia, según datos de su administración sanitaria del mismo año, el índice de cesáreas fue del 16,3%. Casi un 90% de las mujeres pidieron algún método para el alivio del dolor, pero sólo la mitad se inclinó finalmente por la analgesia epidural. Un 15,3% recibió anestesia espinal, un 20,3% recurrió a métodos alternativos no farmacológicos y el resto dio a luz sin tratamiento alguno. Se practicaron episiotomías en poco más de una cuarta parte de los partos vaginales. La edad media de la mujer al nacimiento de su primer hijo también rebasaba el límite de la treintena y la mortalidad perinatal fue del 4,8‰.

Cifras aparte, existen también otros muchos aspectos difíciles de medir, pero igualmente decisivos para la salud física y psicológica de madre e hijo. Cuando se respeta la autonomía de la mujer y se le informa de los beneficios y los efectos secundarios de cualquier intervención, tanto ella como su pareja consiguen una satisfacción mucho mayor durante todo el proceso. Cuando el recién nacido puede pasar su primera hora y media de vida sobre el abdomen de la madre, sin interferencias, trepa hasta el pecho y se agarra de forma correcta, guiado por el olfato; ventajas enormes no sólo para la instauración de la lactancia materna, sino también para el establecimiento de un vínculo afectivo entre madre e hijo que la psicología señala como pilar para su futuro desarrollo emocional y cognitivo.

Creencias erróneas

Sin embargo, a pesar de que la literatura científica resalta, por ejemplo, que la cesárea es una intervención de cirugía mayor que sólo aporta beneficio cuando existen complicaciones médicas o patologías previas en la madre o en la criatura, sigue presente en la sociedad la creencia errónea de que siempre es más segura que un parto vaginal. De forma similar, aunque las recomendaciones de la OMS señalan la episiotomía o la inducción con oxitocina artificial como prácticas que deberían ser de uso restringido, las mujeres siguen aceptándolas y los profesionales continúan aplicándolas de forma generalizada sin cuestionarlas. La creencia en la bondad de una atención medicalizada de los partos normales, de bajo riesgo, está muy arraigada en la sociedad, no sólo entre los profesionales.

¿Por qué? Charo Quintana, obstetra, ex consejera de Sanidad y Servicios Sociales del Gobierno de Cantabria y coordinadora científica de la *Guía de práctica clínica sobre la atención al parto normal* en el Sistema Nacional de Salud (SNS) resume muy bien todas las razones que han llevado hasta aquí: «Le estamos atribuyendo al parto tecnológico toda la reducción alcanzada en la morbimortalidad materna y perinatal, cuando, en realidad, se debe a la mejora en el estado de salud de las mujeres, de sus condiciones de vida y de la atención prenatal, la disminución del número de partos y la utilización de la tecnología adecuada para los partos de riesgo».

La *Guía de práctica clínica para la asistencia al parto normal* es la primera elaborada por un equipo de personas expertas de las principales sociedades científicas implicadas —obstetras, comadronas, pediatras y anestesistas— junto con las mismas usuarias, representadas por la asociación El Parto es Nuestro. Al ser avalada por la última evidencia científica, aspira a convertirse en una ayuda para las administraciones sanitarias en la planificación de recursos y para los propios jueces, en los casos de reclamaciones legales. Este documento científico no sólo recomienda, por ejemplo, que la parturienta elija la posición en que desea parir o establece directrices claras sobre cómo evitar episiotomías de rutina, sino que también promueve cuidados individualizados a las circunstancias de parto de cada mujer e insta a respetar su autonomía. Quintana aclara conceptos: «No se está abogando por volver a los partos de antes, ni a los partos y nacimientos sin atención profesional. Por el contrario, ahora disponemos de un conocimiento sobre la fisiología del parto que no teníamos antes y sabemos mejor cuáles son las necesidades de las mujeres de parto y de sus criaturas, y cuál es la efectividad de nuestras prácticas. Estamos, por tanto, en condiciones de atender mejor que nunca los partos, respetando la fisiología, favoreciéndola, vigilando estrechamente cualquier alteración e interviniendo sólo si es necesario y con las actuaciones más adecuadas.»

No existen los partos «naturales», tampoco los «artificiales». La diferencia no la marca la administración o no de la analgesia epidural. Todas las mujeres que la desean tienen derecho a recibirla, pero también lo tienen a ser informadas sobre sus efectos secundarios, sobre la existencia de otros métodos de alivio del dolor menos agresivos o sobre la potencia de las hormonas que su propio cuerpo produce en condiciones de intimidad, respeto y libertad de movimientos. Cualquier usuaria del Sistema Nacional de Salud (SNS) quiere recibir una asistencia respetuosa con los tiempos de su trabajo de parto, con su propia voluntad y capacidad de mujer madura para tomar decisiones basándose en la información que le suministre el profesional que la asiste, y siempre de acuerdo con lo que estipula la última evidencia científica. Nadie cuestiona que la administración sanitaria de un país deba otorgar unos servicios lo más avanzados posibles en cardiología, oncología o traumatología. ¿No tendría que ocurrir lo mismo en el ámbito de la obstetricia?

Y para acabar, Quintana insiste: «El nacimiento es, junto a la muerte, el único acto fisiológico que se atiende en un centro hospitalario». Es un acontecimiento único para cada madre, para cada padre; también para cada hijo. Todos los partos esconden una historia, una narración humana llena de emociones, logros y fracasos. Muchos hombres y mujeres, sean padres y madres, obstetras, matronas, pediatras o políticos, están aportando su granito de arena para cambiar el modelo de asistencia en las maternidades del país. Lo hacen abogando por el respeto de la fisiología del parto, sin renunciar un ápice a la seguridad que, para los casos que se complican, se ha alcanzado en los últimos años gracias al avance de la tecnología. Algunas personas cuentan en primera persona, en este libro, cómo y por dónde volver a trazar la geografía del parto en España.

1

Nuevos roles. Las matronas asisten el parto normal

«La matrona es la profesional que está formada y tiene la competencia para realizar el diagnóstico y el seguimiento de todo el proceso fisiológico del embarazo, el parto y el posparto en condiciones normales.» Así lo estipula la Conferencia Internacional de Matronas (ICM) de 2005 y así lo recoge la Iniciativa Parto Normal, que la Federación de Asociaciones de Matronas de España (FAME) presentó en el año 2008. Sin embargo, con la creciente medicalización que trajo consigo el desarrollo de la infraestructura hospitalaria durante la década de los sesenta, estas profesionales se fueron quedando relegadas a un segundo plano, el de meras asistentas de los obstetras. La Estrategia de Atención al Parto Normal del Ministerio de Sanidad y Consumo, aprobada a finales de 2007, les dio un empuje definitivo al acreditarlas como encargadas de asistir el parto en condiciones de bajo riesgo, es decir, en la mayoría de los casos. Desde entonces, cada día son más las maternidades públicas donde, si el trabajo de parto sigue su cauce normal, son ellas las que supervisan y asisten el nacimiento. Pero todavía existen prejuicios difíciles de combatir en todos los frentes: muchas mujeres alegan sentirse más seguras en manos del médico; otras tantas comadronas deben retomar habilidades olvidadas en aras del modo de asistencia tecnológico en el que fueron formadas, y a un buen número de ginecólogos les es difícil mantenerse en un segundo plano para intervenir únicamente en caso de que se produzcan complicaciones médicas.

En España, entre hospitales y asistencia primaria, en 2008, más de seis mil comadronas desempeñaban este trabajo, un número insuficiente para asistir el aumento en la tasa de natalidad de los últimos años. La adaptación de los programas de formación a los estándares europeos paralizó esta carrera universitaria durante diez años, entre 1986 y 1996. Además, esta especialidad de enfermería pasa por un sistema de residencia, similar al de los médicos, que ocupa dos cursos académicos y que ofrece un número de plazas limitadas al año.

En Inglaterra se estableció como objetivo una ratio de una matrona por parturienta, un objetivo difícil de alcanzar en nuestro país, sobre todo en los hospitales terciarios, que son aquellos que sostienen mayor presión asistencial y casos de mayor riesgo. Sin embargo, algunas experiencias llevadas a cabo en diversos hospitales de la Península están demostrando que el cambio de modelo es posible, porque no exige una gran inversión en espacios, muebles o aparatología quirúrgica, sino en la formación precisa para transformar la mentalidad y el quehacer de los profesionales. Las comadronas y obstetras, cuyos testimonios se narran en este capítulo, pertenecen a la red de formadores que el Ministerio de Sanidad y Política Social escogió en 2007 para extender las recomendaciones de la OMS y la evidencia científica por todos los centros sanitarios de las diversas comunidades autónomas.

TESTIMONIOS DE COMADRONAS

Soledad Carreguí,
supervisora de paritorio en el Hospital La Plana (Vila-real, Castellón)

Boca a boca

La unidad de Atención al Parto del Hospital La Plana no es especialmente luminosa. Sus salas de dilatación tampoco son precisamente amplias; ni sus habitaciones, demasiado confortables. Faltan bañeras y, a menudo, a pesar de ser un centro comarcal, una matrona se encuentra controlando el parto de tres mujeres a la vez.

Cuando llega una embarazada, la profesional que recibe a los futuros padres les pregunta por su estado físico, y también anímico. Ante todo, van a comprobar si está de parto, en cuyo caso se le asignará una habitación en planta, se la monitorizará para controlar la salud del feto durante unos veinte minutos y luego pasará a la sala de dilatación. Si siente mucho dolor, se le ofrecerá la posibilidad de pasear, moverse encima de una pelota de goma especial, tomar un calmante o administrarle inyecciones intradérmicas. Si ya ha roto aguas, se podrá esperar hasta 24 horas, en casa o en el centro, antes de iniciar la inducción del parto. Y si las contracciones todavía son de preparto, intentarán convencerla de que vuelva a su casa o espere en la habitación durante las horas siguientes. Pero, en todos los casos, desde el principio, la van a escuchar y llamar por su nombre, nada de «cariño», ni otras expresiones similares. «Confianza» y «empatía» son dos palabras que resuenan en el discurso de Soledad Carreguí, supervisora de paritorio del centro y alma máter de una metodología de trabajo y una actitud hacia la mujer que está siendo imitada en muchas otras maternidades de España.

En 2008, el número de mujeres de fuera del área de salud de este centro que viajaron hasta sus instalaciones para dar a luz aumentó del 3 al 14%. Sus tasas de episiotomías, cesáreas, partos instrumentados y morbimortalidad perinatal están entre las más bajas del país. ¿Cómo lo han conseguido? Soledad Carreguí es discreta, pero sus palabras se revelan contundentes. Enumera tres claves: una metodología de trabajo rigurosa, revisada constantemente por el equipo, mucha información a la madre y al padre y una actitud de acompañamiento que huye de cualquier atisbo de paternalismo.

«Muchas mujeres cambian su percepción del parto cuando son informadas de forma adecuada. Con frecuencia, por ejemplo, piden la epidural porque tampoco se les ofrecen otras opciones, ni se les informa bien de que con esta analgesia se entra en una cadena de intervenciones que empieza con la inmovilidad a la que obliga la monitorización continua, acaba con menos fuerza en los pujos y revierte en un mayor índice de partos instrumentados. Cuando les brindas la posibilidad de tomar las riendas de su proceso, con tratamientos alternativos, como la libertad de movimiento durante la dilatación, entre muchos otros, se sienten más satisfechas con el resultado final. Luego, ellas mismas comentan sus experiencias con otras mujeres de su entorno.»

La plantilla que dirige Soledad Carreguí está formada por trece matronas, de entre 25 y 40 años, que se formaron en otros centros con métodos «más intervencionistas», pero «empezaron a cuestionarse» este modelo de asistencia después de releer la documentación científica por su cuenta. Según la jefa de paritorio, fue un proceso muy enriquecedor, porque cada año una matrona revisaba la bibliografía sobre un tema para luego plantear los cambios a sus compañeros. «También influyó decisivamente el hecho de que una comadrona del equipo estuvo durante un tiempo trabajando en Inglaterra y la suerte de contar con un jefe de servicio de Ginecología y Obstetricia muy receptivo», aclara.

«Entonces, ¿por qué sigue habiendo tantas comadronas que se resisten al cambio de modelo?», pregunto. «Monitorizar de forma continua el latido fetal y poner la epidural puede ser más cómodo, porque no te pide tanta implicación en el seguimiento, pero es mucho menos satisfactorio para todos los implicados. Además, como profesional, estás obligada a minimizar todos los riesgos, y el modelo «humanizado» no se aplica porque sea más romántico, sino porque es el fruto de una actualización de los datos científicos.»

El parto poco intervenido «necesita más manos, más oídos, más compañía, más información, pero menos infraestructura», dice Carreguí. Esta mujer joven, madre de dos hijos, se sabe consciente de que a ella le ha sido más fácil adaptarse a este manejo del parto que a muchas matronas mayores que han controlado la dilatación con monitorización continua durante toda su vida y, por lo tanto, se sienten más inseguras con la auscultación intermitente o respetando los tempos largos que necesita el trabajo de parto. No obstante, la jefa de paritorio de La Plana insiste en que las habilidades adquiridas en la asistencia al parto tecnológico de este sector de comadronas todavía en activo «no deben ser nunca menospreciadas, porque devienen de gran utilidad ante una cesárea o un parto instrumentado». Son metodologías que se complementan, cuando se aplican en el momento adecuado y nunca de forma profiláctica. Por este motivo, «la clave —concluye Carreguí— es tener una formación versátil, junto con altas dosis de empatía».

Alicia Ferrer y Marisa Massa Casadevall,
comadronas en el Hospital Santa Caterina (Salt, Girona)

Al servicio de las usuarias

«Fueron las mujeres las que empezaron a reivindicar que querían parir de otra manera. Nosotras lo que hicimos fue escucharlas, respetarlas y actualizar nuestros conocimientos al respecto.»

Así me reciben Alicia Ferrer y Maria Massa Casadevall, supervisora de paritorio y comadrona del Hospital Santa Caterina de Salt, respectivamente. En esta urbe pequeña, situada al lado de Girona, donde vive una alta concentración de población inmigrante, llevan asistiendo partos desde mediados de los ochenta. No se cansan, renuevan su ilusión por el oficio de forma constante. Su área era hasta hace poco muy vieja, tenían pocos recursos. Desde la reforma del hospital, llevada a cabo en 2004, las instalaciones son luminosas, su sala de dilatación es amplia, tanto como sus sonrisas y su amabilidad en el trato. Por esos pasillos se respira un ambiente agradable, difícil de concretar en palabras. No tienen sala nido, cada bebé está en la habitación con su madre. Su protocolo de acogida a la parturienta es admirado y admirable: lo primero que les preguntan a los futuros padres cuando ingresan es si han pensado cómo quieren que sea el parto. Seguramente lo habrán hecho porque su equipo pone todo lo posible de su parte. A partir del quinto mes de gestación, todas las parejas pueden asistir a un par de charlas informativas grupales en las que una matrona les explica qué es un parto normal, cómo se asiste, qué complicaciones pueden acaecer durante el proceso, cómo pueden participar ellos y cuáles son los métodos alternativos más eficaces para paliar el dolor. En la misma sesión, un anestesista del servicio les detalla cuáles son los efectos secundarios más habituales de la analgesia epidural, y también cuándo y cómo es más adecuado administrarla.

Mientras me enseñan orgullosas una sala en penumbra con una silla de partos, otra con una cama reclinable y esa bañera que tanto les costó conseguir para que aquellas mujeres que lo desearan pudieran parir en ella o aliviar el dolor durante la dilatación, ambas insisten en que, más que recursos, «lo esencial es la actitud del profesional y sus ganas de respetar a la usuaria».

Ellas empezaron así, a mediados de los noventa. Comentan que un día una mujer africana les pidió levantarse de la camilla y parir en cuclillas. Se lo permitieron. Como dio buenos resultados, repitieron la experiencia con muchas otras mujeres de la incipiente población inmigrante. Luego, una bailarina conocida en aquella época insistió también en dar a luz de pie, sin analgesia epidural. Para asistirlas de forma correcta, repasaron la documentación científica y enseguida se encontraron con las recomendaciones de la OMS y la experiencia de otros países.

«El parto ha de ser como la mujer desea. Algunas tendrán miedo al dolor y pedirán la epidural; otras querrán sentirlo hasta el final. Pero todas necesitan nuestra asistencia respetuosa y actualizada para intervenir en el momento adecuado.»

La información previa es capital, dado que muchas dificultades vienen porque la embarazada ingresa cuando todavía no está en fase activa, sino de preparto. Si se les explica bien qué hacer antes de acudir al hospital y cómo detectar cuándo va a ser finalmente necesario, «se tranquilizan y se vuelve todo más fácil». Pero el equipo del Santa Caterina no sólo es ejemplar en el trato. El protocolo de asistencia al parto del servicio de Ginecología y Obstetricia, constantemente revisado, también es de los pioneros: no se inducen los partos sin complicación médica antes de las 42 semanas, «aunque estemos en Navidades» —apuntan ambas, a la vez—; han llegado a esperar hasta 48 horas antes de romper una bolsa amniótica, haciendo el mínimo de tactos vaginales para evitar infecciones; cada jornada laboral empieza con una sesión clínica donde el jefe de servicio de Ginecología y Obstetricia, Joan Meléndez, revisa junto al equipo el proceso de indicación de cada una de las cesáreas que se llevaron a cabo el día anterior. En 2008 tuvieron que emprender acciones porque la lista de mujeres de Barcelona que se trasladaban a Salt para parir crecía de forma tan espectacular que no podían atenderlas a todas. Es un centro sanitario comarcal, pero, de nuevo, la ratio matrona: parturienta puede llegar a ser de 1:4 muchas madrugadas.

Dolors Costa Sampere,
Presidenta de la Federación de Asociaciones de Matronas de España (FAME) entre los años 2005 y 2009, adjunta a la dirección general de Planificación y Evaluación del Departamento de Salud de la Generalitat de Cataluña y ganadora del Premio Ediciones Mayo 2008 a la Matrona del Año

Más luz, menos coste

Dolors Costa Sampere ha liderado muchos proyectos para el desarrollo de las competencias de las matronas, de acuerdo con los estatutos internacionales. Uno de ellos es la Iniciativa Parto Normal, un documento de consenso de la FAME, que ella presidió hasta 2009, y que recoge las indicaciones y el papel de estas profesionales en la asistencia al parto normal (http://www.federacion-matronas.org/ipn) y que se está aplicando en todas las comunidades autónomas.

Costa subraya que el nuevo Plan de Formación está permitiendo compensar los déficits en la formación y el número de profesionales que se han hecho sentir en la práctica clínica, después de la paralización de esta especialidad durante diez años. Entre los retos conseguidos, insiste en la importancia de que ahora las direcciones de las unidades docentes están ocupadas por matronas.

«Lo ideal sería poder aplicar el modelo inglés del *one to one*, es decir, una matrona por parturienta. Actualmente, todavía es ciencia ficción, pero esperamos poder cumplir este objetivo hacia 2015», asegura la matrona.

Costa admite que, para conseguir este objetivo, se necesitan más recursos económicos, para aumentar plantillas y adecuar las infraestructuras hospitalarias; pero, a largo plazo, el modelo de asistencia al parto normal llevado a cabo por matronas repercutirá en un descenso de las tasas de partos instrumentados y cesáreas y, por lo tanto, también sobre el coste económico global. «No se trata tanto de poner mucho más dinero, como de cambiar mentalidades para ver el parto como un proceso de vida y de luz, y no de quirófano y medicalización», insiste la ex presidenta de la FAME.

«La mujer de parto no es una paciente, a no ser que surjan complicaciones médicas que la matrona está capacitada para detectar y, entonces, requerir la presencia del ginecólogo.»

Costa asume que su profesión y la asistencia al parto en España se halla en un proceso de transformación que va a ser «largo», pero que ya alberga sus primeros puntos de luz: por un lado, en muchos hospitales se están adecuando las infraestructuras para que las parturientas puedan dar a luz en espacios únicos para la dilatación y el expulsivo; por el otro, cada día son más los profesionales que tienen claro que se debe respetar el deseo de la mujer sobre la analgesia epidural o sobre las posiciones durante la dilatación y el expulsivo, entre otros muchos aspectos.

Cuando le pregunto sobre retos de futuro, Costa tiene claras las prioridades: «Aunque la FAME tiene matronas que asisten de forma privada partos domiciliarios y con competencias para asistirlos con garantía de seguridad, el primer reto debería consistir en conseguir que las mujeres puedan parir en los hospitales con la misma calidez y confort que en casa, pero con la seguridad que les ofrece el centro sanitario».

El epidemiólogo Archie Cochrane (1909-1988), escocés de nacimiento, decía que la obstetricia es la parte de la medicina que más se ha distanciado de la evidencia científica. Por eso empezó a recoger los resultados que alumbraban los trabajos científicos sobre la atención al parto en 1971. Sus ideas y defensa de los ensayos clínicos controlados le llevó a crear la base de datos de Revisiones Sistemáticas de la Biblioteca Cochrane, uno de los compendios de material científico más completos y fiables de todo el mundo. En castellano, se puede acceder a La Biblioteca Cochrane Plus gracias a la suscripción del Ministerio de Sanidad. Esta base de datos contiene la traducción de un gran número de revisiones sistemáticas, traducidas al español directamente de los artículos e investigaciones científicas publicadas sobre un tema. Se basan mayoritariamente en ensayos clínicos controlados y la evidencia se incluye o excluye en función de criterios explícitos de calidad, para minimizar los riesgos.

Una revisión de la literatura científica de la base de datos Cochrane sobre los modelos de atención al parto llevados a cabo por matronas deja claro que en los partos normales de bajo riesgo, asistidos por estos profesionales —especialmente si las parturientas ya la conocen previamente y han podido tener un seguimiento del embarazo— se da una reducción del número de episiotomías, analgesias epidurales y partos instrumentados. No se observa, sin embargo, un cambio en la ratio de cesáreas. En países como Inglaterra, Holanda, Finlandia o Suecia y cada día en más maternidades españolas, sobre todo públicas, son las matronas las encargadas de asistir los partos normales. El obstetra interviene en caso de complicaciones o de mujeres con patologías previas, es decir, en partos de alto riesgo.

TESTIMONIOS DE OBSTETRAS

Longinos Aceituno,
ginecólogo del Hospital La Inmaculada (Huércal-Overa, Almería)

Datos de 2007:

- 13% cesáreas
- 19,8% episiotomías
- 7% partos instrumentados
- 38,5% epidurales

Un visionario en provincias

No está ubicado ni cerca de Barcelona, ni de Madrid, ni tampoco de Bilbao o de Valencia. La Inmaculada es un hospital pequeño del norte de Almería, pero, en materia obstétrica, se sitúa por delante de cualquier centro de referencia cosmopolita. Es así desde los años noventa, cuando el equipo de matronas y ginecólogos dirigido por Longinos Aceituno dejó de practicar lavativas, cuestionó y revisó cada episiotomía que se realizaba y optó por suprimir las llamadas «órdenes médicas», para poner el parto normal en manos de las matronas.

Este centro público almeriense tiene una de las mejores tasas de España, pero, sobre todo, puede presumir de contar con la complicidad de una larga lista de mujeres procedentes de otras áreas sanitarias, principalmente de la vecina comunidad de Murcia, que narran maravillas del trato y la asistencia en sus partos. En la maternidad de La Inmaculada, ellas son las protagonistas del proceso, se les pide permiso hasta para realizarles un tacto vaginal y los ginecólogos intervienen únicamente cuando surgen complicaciones. En el año 1998, el servicio de Ginecología y Obstetricia ya tenía elaborado un protocolo para disminuir el número de cesáreas sin que aumentara la morbimortalidad materna, ni perinatal, con resultados sin precedentes en España. Sin duda, el hospital almeriense fue el «pionero» en España, pero Longinos Aceituno evita ponerse medallas, porque asegura que «lo difícil es asistir bien la dilatación», un trabajo que desempeñan las matronas.

«Casi el 50% de los partos instrumentados que se llevan a cabo en los hospitales españoles son profilácticos. Y sus consecuencias no son menores, porque algunos pueden terminar con desgarros de nivel III o IV y, por lo tanto, pueden provocar incontinencia de gases o heces a largo plazo.»

Este obstetra asegura que adecuar las rutinas a la evidencia científica no es tan difícil, cuando se da una buena formación y se asegura que nadie del equipo actúa «por comodidad». Paralelamente, insiste en la necesidad de dar información a las mujeres para que puedan expresar sus peticiones desde una base sólida y puedan acceder a un tipo de atención al parto «centrado en sus necesidades, y no en las de los profesionales».

«Los hospitales tendrían que crear las condiciones necesarias para que las mujeres y sus parejas se sientan a gusto y no se vean obligados a recurrir a la medicina privada o al parto domiciliario, si no es una opción escogida de forma consciente.»

El parto «poco intervenido» tiene muchas ventajas no sólo físicas o emocionales, sino también económicas, explica Aceituno. Aunque exija una inversión económica de partida en infraestructura hospitalaria y recursos humanos, la tendencia a largo plazo ahorra intervenciones mucho más costosas.

Según datos del Instituto Municipal de Asistencia Sanitaria (IMAS) de Barcelona, del año 2008, el coste de un parto normal es de 963 euros, mientras que el de una cesárea supone 2.148 euros. El doctor Aceituno añade que, «con el modelo de parto poco intervenido, o sea, fisiológico, se usa menos analgesia epidural, se hacen menos episiotomías y se realizan menos partos instrumentados y cesáreas».

Pilar de la Cueva,
ginecóloga, coordinadora científica de la Estrategia de Atención al Parto Normal del Ministerio de Sanidad y directora académica del programa formativo para profesionales de dicha Estrategia

La mejor asistencia para todas las mujeres

«Cuando empecé a hacer la especialidad de obstetricia, me desmayé varias veces en el paritorio. En la dilatación, les daba la mano a las mujeres, porque me parecía inhumano que estuvieran acostadas e inmovilizadas con un gotero de oxitocina que casi siempre era innecesario, acelerando las contracciones y haciéndolas más dolorosas, sin que pudieran moverse para encontrar alivio. Descubrí que cuando me sentaba al lado de una mujer y le daba la mano, le hablaba con voz suave y la ayudaba a relajarse, a pensar que todo iba bien, que ella era capaz de hacer nacer a su hijo y que lo estaba haciendo bien, a respirar y conectarse con su bebé, se tranquilizaba, dejaba de quejarse y los partos resultaban más fáciles. Mi pelea era continua para que sus parejas pudieran acompañarlas, a pesar de la poca intimidad de la sala de dilatación, donde las mujeres se amontonaban unas al lado de las otras, expuestas a la vista y los comentarios de todo el que entraba y salía de la sala, hablando de otras cosas. Me gané bastantes broncas del jefe de turno cuando descubría que habíamos dejado entrar al acompañante al paritorio. Al principio, las matronas se reían de mí, pero al cabo de algún tiempo descubrí en algunas de ellas curiosidad y respeto cuando comprobaban que mi compañía ayudaba a las mujeres a parir mejor. A veces me pedían que me sentara con alguna mujer "descontrolada", según ellas. Una noche, a las tres de la madrugada, hice un descubrimiento: después de haber presenciado muchos partos que me resultaron atroces y humillantes, con insultos incluidos y enormes episiotomías, asistí agazapada en un rincón a un parto silencioso, en penumbra, en el que la mujer estaba serena y consciente, su médico le hablaba lo mínimo y respetaba su ritmo para colocarse, para empujar, para respirar, y le pedía permiso para explorarla. El bebé nació suavemente, lo colocaron encima del vientre desnudo de su madre y, sin llorar, abrió los ojos y respiró tranquilo antes de que le cortaran el cordón. El padre acarició al bebé y besó a su mujer. Creo que a todos se nos saltaban las lágrimas. Me quedé fascinada al comprobar que había algo que no era como me estaban contando.»

Pilar de la Cueva me regaló estas palabras cuando le pedí que me contara cómo había empezado a trabajar en la asistencia al parto. Es una ginecóloga apasionada que ahora es coordinadora científica de la Estrategia de Atención al Parto Normal del Ministerio de Sanidad español. Comenzó asesorando a las personas que crearon el Observatorio de Salud de las Mujeres (OSM), tras su implicación en asociaciones de mujeres, como Vía Láctea, que ayudó a solucionar sus problemas en la lactancia, y El Parto es Nuestro, donde trabaja junto a otras mujeres y profesionales. Ha coordinado la ampliación de la Estrategia a los procesos de embarazo, puerperio y atención neonatal, lo que la convertía, en el año 2010, en la Estrategia de Salud Reproductiva, elaborada por personas del ministerio, profesionales y usuarias codo con codo. Ha impulsado desde el Ministerio de Sanidad el desarrollo de grupos de trabajo de indicadores de calidad en la atención perinatal, difusión de la información y buenas prácticas, creación de planes de parto, y es directora académica del Programa Formativo para Profesionales dentro de la Estrategia. Participó en la elaboración de la *Guía de práctica clínica para la asistencia al parto normal* y del *Documento de Estándares de Calidad para Maternidades*, y es miembro del comité evaluador de hospitales de la Iniciativa para la Humanización de la Asistencia al Nacimiento (IHAN) de Unicef.

A pesar de las múltiples tareas en las que se halla implicada, insiste en que es una ginecóloga «de a pie» y siempre encuentra tiempo para aclarar mis dudas respecto a un artículo científico. Sus premisas son claras: «La administración sanitaria debe garantizar la mejor asistencia a todas las mujeres, no sólo a aquel 3% que pide un parto "natural". Hablamos de parto "normal". Ninguna embarazada tiene la obligación de estudiar lo que dice la literatura científica, porque es el profesional quien tiene que estar preparado y actualizado. El parto fisiológico o normal no es una moda, ni una opinión, sino una cuestión de salud, porque implica una asistencia con más beneficios y menos efectos negativos para todos los implicados, siguiendo prácticas que están establecidas en evidencia científica y en protocolos internacionales desde hace décadas».

Por este conjunto de razones, Pilar de la Cueva insiste en que, más que fomentar la construcción de unidades de parto natural, en los centros sanitarios se debería invertir en la formación necesaria para que todos los servicios provean la mejor asistencia al parto a cualquier mujer, quiera o no la analgesia epidural, desee parir de pie o recostada. «Y ya se está haciendo», insiste la ginecóloga, que recuerda que, en plena crisis económica de 2009, el Ministerio de Sanidad y Política Social no recortó el presupuesto dedicado a formación en este campo.

¿Por qué no se empieza por cambiar los planes de estudio en las universidades?, le pregunto.

«La red de formadores del ministerio tiene dos grupos diana como principal objetivo: el primero, el de las personas que van a convertirse en formadoras en los propios hospitales; el segundo, el de docentes en las facultades de medicina, enfermería, etc., e incluso educación primaria y secundaria.»

Sin embargo, Pilar de la Cueva admite que cuesta cambiar las rutinas que se han instalado en los centros durante tantos años, principalmente porque las demandas judiciales contra profesionales llegan «por una cesárea de menos». Por este motivo, también se pretende desde el ministerio que no sólo la población y colectivos sociales, sino también jueces y fiscales, conozcan las prácticas correctas, que no pasan por un exceso de pruebas e intervenciones en un parto normal. La nueva *Guía de práctica clínica* será un instrumento útil para profesionales que «dejan de hacer» intervenciones como rutina.

Esta ginecóloga aragonesa, combativa y sumamente capacitada, comprende las resistencias de algunos profesionales al cambio, porque ella misma confiesa haber realizado más episiotomías de las necesarias, en algún momento de su vida. Pero, más que a nadie, entiende —y apoya desde varios foros virtuales— a aquellos otros que han querido cambiar las cosas desde dentro y han sido «arrinconados, marginados e incluso insultados por sus compañeros». «Cada día son menos y, de repente, algunos de ellos pasan a ser sumamente valorados, cuando los demás se dan cuenta de su equívoco», insiste optimista. Así, poco a poco, como en un rompecabezas, cada pieza vuelve a su sitio y muchos hospitales se aplican y se ilusionan por el cambio, al comprobar que los resultados no sólo se traducen en cifras, sino también en rostros de emoción y experiencias conmovedoras. Pilar de la Cueva aclara que también se trata de un tema de costes y que, en algunas comunidades autónomas, las gerencias de los centros han apoyado enseguida este tipo de asistencia al parto, porque revierte positivamente sobre sus balances anuales, gracias a una reducción del período de estancia en el centro, del uso de quirófanos, instrumental, y de las complicaciones médicas posteriores.

«Cuando los profesionales acceden a revisar sus prácticas, según los criterios de la OMS y la literatura científica, la primera reacción es de asombro y rechazo, pero luego se observa una satisfacción que va mudando su labor de forma gradual y permanente», concluye la coordinadora científica de la Estrategia de Atención al Parto Normal. Esta transformación está teniendo lugar no sólo en centros comarcales que fueron pioneros en algunos casos, me insiste De la Cueva. Poco a poco, está sucediendo lo mismo en grandes hospitales, a lo largo de toda la geografía. «Ellos son la prueba de que no se trata de una cuestión de masificación, ni de presión asistencial», concluye.

El personal médico es uno de los colectivos más propensos a padecer el síndrome *burn out* o «de desgaste», entre cuyos síntomas más habituales se encuentran la fatiga crónica, la tensión muscular, los trastornos del sueño, la desmotivación y el cinismo hacia los pacientes, así como síntomas de ansiedad y depresión. Los estudios vinculan este síndrome con una peor calidad de vida, pero también con una falta de satisfacción en los pacientes, baja empatía y mayores errores médicos y litigios.

En un estudio realizado en 2007 desde el Hospital Clínic de Barcelona, sobre una muestra de ocho hospitales universitarios de diversos puntos de la geografía española, un 58% de los 162 residentes de la especialidad de ginecología y obstetricia cumplieron los criterios asociados al «síndrome de desgaste». Los investigadores señalaron la sobrecarga de trabajo y el estado civil soltero como factores de predisposición.

Otra investigación, en este caso del Centro Médico de la Universidad de Rochester, en Estados Unidos, publicada en septiembre de 2009, en la revista *Journal of the American Medical Association*, mostró que aquellos profesionales que siguen un programa educativo, con especial énfasis en la comunicación plena, reportan una mejora en la calidad de vida, la empatía y el cansancio emocional. En España existe, desde 1998, el Programa de Atención Integral al Médico Enfermo de la Fundación Galatea, una iniciativa promovida desde los colegios de médicos de Cataluña y apoyada desde la Organización Médica Colegial (OMC), para asistir de manera integral a los médicos que sufren problemas psíquicos y/o conductas adictivas.

2

El cambio social en Europa. Las mujeres se organizan en asociaciones

Fueron ellas las que empezaron. Ellas eran mujeres que robaron tiempo a su quehacer como madres para protestar, reivindicar, hablar, conocer, estudiar y pedir un parto respetado para ellas mismas, para sus hijas, para las futuras generaciones. Ellas eran psiquiatras, maestras, físicas, ingenieras, enfermeras o, simplemente, mujeres sabias, sin título alguno, que se reunieron y formaron las primeras asociaciones de usuarias. Ocurrió en Londres o Frankfurt, en los años ochenta; en Madrid o Barcelona, a finales de los noventa.

Sabían lo que querían. Deseaban cambiar las cosas. Lucharían para devolver a la asistencia al parto el trato humano y respetuoso con la evidencia científica que merece un acontecimiento tan especial en sus vidas; si fuera necesario, cuestionarían a profesionales y gestores sobre la vigencia de un modelo paternalista, que sitúa a la mujer de parto en el ámbito de la enfermedad y de la incultura. En ese cambio de siglo, la mujer tenía que estar preparada para asumir sus responsabilidades como usuaria de un sistema de salud y elegir, junto al profesional, cómo dar a luz. Supieron que sólo la información podía labrar el camino del cambio y así dibujaron las primeras complicidades con algunos profesionales.

Pero no es posible entender la labor y el alcance de sus reivindicaciones sin dar antes un repaso histórico a la asistencia al parto y el nacimiento en Europa. Antes de los años cincuenta, en algunos países —en otros, antes de los treinta— las mujeres parían en sus casas asistidas por matronas, médicos de cabecera o parteras tradicionales. Con el desarrollo de la infraestructura hospitalaria y, sobre todo, de la cobertura universal de los diferentes sistemas nacionales de salud europeos, la atención al parto pasó a suponer una parte importante de la actividad asistencial de los hospitales con maternidad. De forma paralela, en esa segunda mitad del siglo XX, las tasas de mortalidad materna e infantil en todo el continente se redujeron a cifras inéditas gracias al avance tecnológico que, en la asistencia de partos complicados, supusieron técnicas quirúrgicas como la cesárea, pero también debido a otros factores, como la planificación familiar y la disminución del número de partos, la mejora de las condiciones higiénicas, de salud y de vida de las propias mujeres embarazadas y la aplicación de técnicas de control prenatal, que permitieron detectar a tiempo los embarazos de riesgo.

Sin lugar a dudas, parir se convirtió en un acto medicalizado que salvó muchas vidas, pero que, con el paso de los años, necesitó una revisión de sus coordenadas, porque esos mismos avances científicos que descubrieron y mejoraron técnicas tan útiles, como la cesárea o los fórceps, en determinados casos de patología previa o estancamiento del parto, dejaron bien claro que algunas intervenciones pueden ser no sólo innecesarias, sino también ineficaces, inadecuadas e, incluso, perjudiciales.

El caso de Inglaterra, parecido al de Alemania, puede servir como ejemplo para comprender lo que luego sucedería en España. Todo empezó a principios de los años ochenta, cuando apareció un movimiento de mujeres que reivindicaba un papel más activo para las matronas y las propias parturientas en la toma de decisiones sobre este proceso medicalizado. Presionaron a la administración sanitaria para aplicar la última evidencia científica, ya recopilada por la OMS en sus recomendaciones de 1985, que recogió la famosa Declaración de Fortaleza (Brasil). El informe británico *Changing Childbirth* resumió sus reivindicaciones en el año 1993. Fue aprobado por el Parlamento y puso las bases del modelo de asistencia fisiológico, centrado en las mujeres usuarias, que siguen los centros de salud en el Reino Unido y que han tomado como ejemplo muchos movimientos de mujeres y profesionales que despertaron, a finales de siglo, en España.

En nuestro país, hoy, algunos documentos, como la *Estrategia de atención al parto normal* o la *Guía de práctica clínica para la asistencia al parto normal*, que están transformando la asistencia en todo el territorio, han sido auspiciados gracias a la presión de estos movimientos de usuarias y profesionales, reunidos en dos organizaciones principales sin ánimo de lucro, la asociación El Parto es Nuestro y la Plataforma pro Derechos del Nacimiento, ambas fundadas en los años del cambio de siglo. Sus historias tienen nombre propio. Muchas seguirán en el anonimato. Siempre valdrá la pena escucharlas.

Ibone Olza,
psiquiatra, cofundadora de la asociación El Parto es Nuestro (2003) y madre de Nicolás, Andoni y June (Madrid)

Mujeres que ayudan a otras mujeres

Ibone Olza y Meritxell Vila tenían algo en común: estaban en su tercer embarazo. Era la primera niña, tras dos varones, nacidos por cesárea. Ambas buscaban consejo, porque deseaban tener un parto vaginal después de dos cesáreas. Las pusieron en contacto desde un grupo de apoyo a la lactancia y enseguida conectaron. Empezaron a leer en inglés la bibliografía sobre el tema y se suscribieron a la red de apoyo internacional International Cesarean Awareness Network (http://www.ican-online.org). Seis meses más tarde, el 7 de julio del año 2001, abrieron su símil español, la lista Apoyo Cesáreas (http://elistas.egrupos.net/lista/apoyocesareas), que sería el primer germen de la asociación El Parto es Nuestro, fundada dos años más tarde. En 2007, este grupo de mujeres con tesón llamó a la puerta del OSM del Ministerio de Sanidad y Política Social, dirigido por la sabia médica Concha Colomer, y sus reivindicaciones fueron escuchadas. Luego participarían de forma más que activa en la redacción de la Estrategia de Atención al Parto Normal, codo con codo con un equipo de personas expertas de las principales sociedades científicas implicadas —obstetras, comadronas, pediatras y anestesistas— y se convertirían en la voz de muchas usuarias en España.

Para entender la generosidad de Ibone, Meritxell y todas las que las siguieron, basta leer el dolor entre las líneas de sus historias de parto colgadas en la página web de la asociación en internet. Primero iban a llamarse Liberparto o Mujeres que ayudan. Éstos eran algunos de los primeros nombres que barajaron ese otoño de 2003, en el que veinte de ellas —y un marido— se reunieron en El Escorial para redactar el acta fundacional. Explican que llevaban meses discutiendo, riendo, llorando, contándose sus retos y cada una de las miserias y tristezas de sus partos. Coincidieron en todos los puntos del decálogo que se puede leer hoy en su página web (http://www.elpartoesnuestro.es), pero Ibone insiste en que las unía una «sensación de robo generalizada» y que «deseaban recuperar el parto para las mujeres». Por eso se constituirían como voluntarias, en una organización sin ánimo de lucro, y lucharían para que se respetase la fisiología del parto, de acuerdo con las recomendaciones de la OMS y la documentación científica existente. Trabajarían por los derechos de todas las mujeres, parieran donde y como quisieran, pero empezando por los hospitales, y con una atención rigurosamente científica, estrictamente humanizada, pero para todas, no sólo para las que quisieran un parto natural.

Juntas acumulan una curiosa lista de anécdotas sobre sus inicios. El 7 de junio de 2003, día mundial de los Derechos del Nacimiento, montaron su primera paradita con folletos confeccionados por ellas mismas, con ayuda de algunas parejas, y se plantaron en la madrileña Puerta del Sol, invitando a conversar a todas las mujeres que pasaban. Una de ellas, Francisca Fernández, que después se convertiría, por su condición de abogada, en la asesora jurídica de la asociación, aseguraba librar a diario su «minicampaña de comunicación en favor de la implantación de un parto respetado en los hospitales de

España». Lo contaba en un correo electrónico escrito el 17 de octubre de 2002: «Cuando voy camino de mi trabajo, suelo llevar en la mochila folletos que hago yo misma con las dieciséis recomendaciones de la OMS y se los doy, con una sonrisa, a las embarazadas que me encuentro por la calle. También los pego en los tablones de anuncios de los centros de salud y salas de espera de hospitales». «Os animo a hacer lo mismo —continuaba la abogada—, ¡sólo hacen falta unas fotocopias y un celo o una chincheta! Es mi pequeño vicio y, como estoy en la fase obsesiva de mi trauma, quedo algo aliviada... os lo recomiendo.»

Con el paso de los años, algunas de ellas, como la escritora Isabel Fernández del Castillo o la propia Ibone Olza, médica psiquiatra, vieron publicados sus rigurosos libros *La revolución del nacimiento* (Ed. Granica) y *Nacer por cesárea* (Ed. Granica); otras, como la incansable matrona Blanca Herrera o la ginecóloga Pilar de la Cueva, dedicaron horas a participar en los grupos de redacción de la Estrategia del ministerio, e incluso otras, las eficientes arquitectas Ángela Müller y Marta Parra, pasaron noches organizando congresos y redactando notas de prensa. Hoy, asegura Ibone, todas ellas comparten una inmensa alegría por haber vivido o escuchado otras historias de partos gozosos y respetados, las de una segunda generación de mujeres a quienes dieron la mano para llenarla de información y soporte emocional.

A principios de 2010, la asociación El Parto es Nuestro tenía casi cuatrocientos socios, la mayoría madres, pero también padres y profesionales del campo de la obstetricia, la psicología y la matronería. Cuando mira hacia atrás y hace balance, Ibone Olza se considera satisfecha; incluso sorprendida, porque asegura que, en ese momento en el que todo empezó, «no éramos conscientes de hasta dónde podíamos llegar». Sin embargo, tiene varias preocupaciones, nuevos caballos de batalla muy claros: «Es cierto que la sensibilidad y el respeto por el parto fisiológico están haciendo mella y la situación en los hospitales ha mejorado mucho, pero queda tanto por hacer... Sobre todo me preocupa que esta atención desde la evidencia científica por la que luchamos no sea entendida como una "moda de parto natural" o un capricho de unas pocas mujeres».

Ibone Olza conoce bien el sufrimiento emocional que puede rodear el parto cuando las cosas no van bien. Y no sólo porque trabaja desde hace años como psiquiatra infantil en el Hospital Puerta de Hierro, en la Comunidad de Madrid, sino porque puede contar todas las heridas que el nacimiento de sus propios hijos le dejaron en el cuerpo. Fueron tres cesáreas: la primera, explica, llegó tras una cadena de intervenciones a la que se sometió sin preguntar nada, porque en ese momento consideraba la medicalización del parto como un avance incuestionable. La segunda vino tras semanas de estrés en su trabajo, como residente de psiquiatría en un hospital de Zaragoza, y tras una taquicardia mantenida a 200 latidos por minuto, que desembocó en una intervención urgente. Su hijo Andoni tuvo que estar doce días en la UCI de la unidad de Neonatología.

La tercera cesárea sí fue más inesperada, porque llegó al hospital con la dilatación completa, tras haber dilatado en casa con una matrona. Sin embargo, después de empujar un par de veces, el ginecólogo dijo que el bebé no bajaba y la trasladaron otra vez al quirófano. Le cortaron la vejiga accidentalmente y tuvieron que sedarla con morfina, pero tuvo a su pequeño en brazos después de doce horas en reanimación, y eso, para una madre que tuvo a su hijo anterior durante tantos días ingresado en la UCI, hace que por unas semanas «todo se olvide». Pocas semanas, porque pronto volvieron los recuerdos y las preguntas. La psiquiatra transformó todo su sufrimiento en frases generosas con información útil y sabia en el libro *Nacer por cesárea*, que escribió en colaboración con el ginecólogo Enrique Lebrero, director de la Clínica Acuario de Alicante.

Por su formación y experiencia como psiquiatra, Olza sigue trabajando en el grupo de la Estrategia del ministerio. Propone que se analice el desgaste y el sufrimiento emocional de los profesionales que asisten el parto. Hablamos del *burn out* o «síndrome de desgaste profesional», y me explica que los obstetras «no tienen ninguna formación para sostener y digerir el torrente de emociones primitivas que se desatan en cualquier proceso de parto». Cuando pierden a un bebé o muere una mujer en el proceso, la red sanitaria no les ofrece ningún tipo de espacio de supervisión o soporte emocional.

«¿Consecuencias?», pregunto. «Múltiples. Para empezar, a muchos la autoestima se les queda por los suelos y se sienten agotados emocionalmente. Otros, simplemente, se distancian y despersonalizan el trato, como mecanismo de defensa. Luego, o bien entran en un tipo de medicina defensiva, o bien abandonan.»

Algunos médicos llevan años participando de forma anónima en el foro Apoyo Cesáreas. Ibone Olza concentra sus esfuerzos en conseguir la reparación emocional y una actitud más empática en los profesionales, pero insiste mucho en que se debería empezar por hacerles ver el daño que pueden causar con este tipo de medicina defensiva, aunque es consciente de que muchos no pueden. «Cuando les pones delante ese sufrimiento, se sienten muy agredidos», concluye la psiquiatra.

Idoia Armendáriz,
coautora de la página web de la campaña «¡Que no os separen!»: http://www.quenoosseparen.info (Bilbao)

De formación técnica electrónica, la bilbaína Idoia Armendáriz trabajó en la empresa privada arreglando fuentes de alimentación y diseñando placas con absoluta minuciosidad aunque siempre primó su faceta empresarial dirigiendo un negocio familiar. Desde mediados de 2006, sin embargo, sólo echa algún cable a su marido, electricista, cuando hace falta. Se ocupa de sus dos hijos y de participar activamente en la asociación. Recopiló los datos de partos y cesáreas de todos los hospitales de España y los puso a disposición de las usuarias en la web de la asociación; asimismo, ha participado en la redacción de la *Guía de práctica clínica para la asistencia al parto normal* que estaba elaborando el Ministerio de Sanidad y Política Social, en el año 2010, y que será la herramienta clave para la elaboración de los futuros protocolos de atención al parto y al recién nacido en España. Pero también mantiene y alimenta con rigor la base de datos y la página web sobre contacto precoz de la asociación El Parto es Nuestro. Su nombre, «¡Que no os separen!», surgió en un congreso de la asociación en el que se dieron cuenta de que «estaban olvidando la atención posnatal inmediata tras el parto» tan necesaria en este país, según ellas, porque en muchos hospitales se sigue separando de forma innecesaria a las madres de sus bebés.

Junto a otra socia, la publicista Patricia Sanz, se pusieron a leer y «traducir para el lector normal» ese volumen ingente de documentación que fueron recopilando para ellas otras dos socias, familiarizadas gracias a sus respectivas profesiones en la búsqueda de literatura científica. Con el paso del tiempo, esta campaña por la no separación madre-bebé, financiada por el Ministerio de Sanidad y Política Social, se convirtió en un referente y fue apoyada por la Iniciativa Hospitales Amigos de los Niños (IHAN) y por el Comité de lactancia de la Asociación Española de Pediatría (AEP). Armendáriz explica con orgullo que, «aunque los hospitales no lo reconozcan, la campaña ha sido un latigazo que los ha hecho reaccionar y moverse». Y añade que, «hasta que salió la campaña, nadie hablaba del contacto piel con piel y ahora existe un interés creciente entre los profesionales».

Idoia Armendáriz nunca llegó a colgar su historia de parto en la web de la asociación, a pesar de que sus partos, asegura, «fueron estupendos». Dice que «sentía demasiado pudor» ante el sufrimiento de tantas otras mujeres que, en las reuniones de la asociación Haurdun en el País Vasco, lloraban cuando narraban sus experiencias. Un día escuchó una frase de una de esas madres que la hizo reaccionar: «Llevo siete años sin poder hablar de mi parto».

A esa mujer la habían separado de su bebé durante muchos días, sólo podía acercarse a la incubadora donde se recuperaba su hijo unos pocos minutos al día. Apenas lo había podido tocar. «Me arrimé a las listas de la asociación y sentí que había que hacer algo», insiste la bilbaína. Desde entonces, «¡Que no os separen!» cuenta con una actualización diaria, rigurosa y mimada de los estudios científicos que existen sobre contacto precoz, atención posnatal inmediata y Método Canguro. Entre sus muchos objetivos, destaca la lucha para que los padres no estén como «de visita» en las unidades neonatales de los hospitales y, al igual que se hace en otros países, como Suecia, puedan descansar en una tumbona las 24 horas del día, en contacto piel con piel con sus hijos, cuando sea necesario.

Ángeles Hinojosa,
presidenta de la Plataforma pro Derechos del Nacimiento (Barcelona)

El acento en el nacimiento

En 1996, Ángeles Hinojosa empezó a recopilar experiencias de nacimiento acontecidas en su entorno inmediato. Dice que pronto se dio cuenta «de que la vida de los niños empieza sin que se tenga en cuenta el cúmulo de decisiones que ese pequeño ser toma al salir del seno materno». Todo ello la llevó a crear la asociación Nacimiento Feliz con dos objetivos claros: conseguir, por un lado, la creación de una unidad de parto natural en cada hospital, centro de salud o clínica de España, y por el otro, que se contemplara la opción de parir en casa con apoyo de infraestructura médica, igual que se hace en otros países, como Holanda o Inglaterra. Al cabo de poco tiempo, empezó a trazar puntos de encuentro con miembros del grupo de apoyo a la lactancia Vía Láctea, la Asociación Nacional de Educación Prenatal (ANEP) y el grupo Acuario de Alicante. Juntos constituyeron la Plataforma pro Derechos del Nacimiento (http://www.pangea.org/pdn/plataforma.html) el día 7 de junio de 1998, en Madrid. Compartían el deseo de establecer un vínculo entre profesionales y padres «interesados en cambiar la forma de nacer en España».

La plataforma contaba, en 2010, con más de doscientos socios particulares y una larga lista de asociaciones de todo el territorio, entre grupos de apoyo a la lactancia, centros de preparación al parto, la casa de nacimiento Migjorn, situada en Manresa y única en España, o grupos de matronas que atienden partos domiciliarios.

Hinojosa se muestra combativa cuando se queja de la poca información que se da a las mujeres y a los hombres que van a tener una criatura. Subraya que «hemos creado un sistema en el que las personas delegan su responsabilidad en los profesionales, y esa falta de implicación en su propio proceso de gestación, parto y crianza de los hijos es la que provoca que el profesional tome las riendas, infantilizando a la usuaria en uno de los momentos más importantes de su vida». La presidenta de la Plataforma pro Derechos del Nacimiento reconoce que la Estrategia de Atención al Parto Normal del Ministerio de Sanidad y Política Social está transformando el panorama de la asistencia en los hospitales. Muchos de sus integrantes han participado en la elaboración de este documento y en el seguimiento de su aplicación. En la plataforma aseguran que, aunque la atención al parto en nuestro sistema nacional de salud se desarrolla «con criterios de seguridad y calidad semejantes a los de los países de nuestro entorno, son los aspectos de calidez, participación y protagonismo de las mujeres aquellos sobre los que existe un sentimiento generalizado de necesidad de mejora».

Y es que todavía «queda mucho camino por recorrer», insiste Hinojosa. ¿Por ejemplo? «Somos poco conscientes de cómo impacta la experiencia del parto y el nacimiento en el recién nacido», asegura esta mujer menuda, resuelta, que ha dedicado décadas a brindar apoyo emocional a madres y padres en esas etapas vitales. El nombre de la plataforma pone su énfasis en el proceso de gestación, nacimiento y primera infancia. Hablan de una «nueva cultura del nacimiento» e invitan a padres y profesionales a respetar un decálogo que defiende, entre otros aspectos, la lactancia materna, el contacto precoz y duradero y la toma de decisiones por parte de los progenitores como derechos propios del recién nacido (a consultar en: http://www.pangea.org/elimpactodenacer).

Al final de la conversación, Hinojosa vuelve la vista atrás y recuerda con cierta nostalgia ese primer congreso internacional de Barcelona, en el que, bajo el nombre «Nacer en España hoy», reunieron a padres y profesionales de todo el país para dar un primer empuje a la plataforma. En ese encuentro, el entonces jefe de servicio del Hospital Clínic de Barcelona, Vicenç Cararach, se comprometió a crear el primer protocolo de parto natural de España en este centro de salud. Con el tiempo, ese ejemplo daría paso al Protocolo de Atención al Parto Natural de la Generalitat para toda Cataluña.

Elisabeth Geisel,
miembro de la ENCA (European Network of Childbirth Associations) y del consejo directivo de la GfG, la sociedad alemana para la preparación al parto

Frankfurt, años ochenta

ENCA, la red europea de asociaciones en torno al parto, fue fundada en 1993 en Frankfurt. La alemana de origen estadounidense Elisabeth Geisel conoce bien su gestación y nacimiento, porque cuando empezó a trabajar en el consejo directivo de la GfG, en 1991, una de sus tareas consistía en establecer los primeros contactos con otras organizaciones afines del resto de Europa. Participó en reuniones de mujeres en Varsovia, Londres, París... En esas ciudades, Geisel descubrió que había otras asociaciones con objetivos similares a la suya, es decir, recuperar los derechos y la toma de decisiones de las mujeres respecto al parto y luchar por la aplicación de las recomendaciones de la OMS.

Finalmente, en 1993, la GfG decidió organizar en Frankfurt un encuentro con delegadas de todas las organizaciones europeas. A la ciudad del Maine acudieron representantes de doce países que, durante tres días, tuvieron un intercambio de ideas muy intenso. La reunión acabó con la elección de un nombre, ENCA, y la colaboración de Beberley Beech, matrona británica de la Association for Improvements in the Maternity Services (AIMS), un referente en este campo en Europa.

«El objetivo de ENCA es darnos ánimo mutuamente para seguir luchando por restituir el parto a las mujeres y el nacimiento a los recién nacidos, ya que los estudios científicos de vanguardia demuestran que un parto fácil es menos peligroso que uno complicado y señalan claramente cuáles son las condiciones que lo facilitan», explicó Elisabeth Geisel durante el Congreso Internacional de ENCA de 2009 que tuvo lugar en Madrid y fue organizado por la asociación El Parto es Nuestro, miembro de la red europea.

En Madrid, durante una entrevista a seis bandas, con ella y sus colegas de ENCA-Holanda, especializadas en la educación prenatal, Thea van Tuyl y Hannie Oor, me explicaron que ellas vivieron en primera persona ese movimiento de liberación que consiguió para las mujeres el respeto de sus decisiones sobre planificación familiar, aborto y parto. Todas coinciden en la importancia de un nuevo concepto reivindicado en esos años: el de la toma de conciencia sobre la responsabilidad de las féminas sobre su propio cuerpo y la aceptación, por parte de diferentes sectores de usuarias y profesionales, de que el parto no tiene por qué ser considerado siempre como una enfermedad.

En Holanda, por ejemplo, la larga tradición del parto domiciliario hace que muchas mujeres no se cuestionen esta opción, porque forma parte del sistema sanitario de cobertura universal. Un 30% de las madres holandesas han dado a luz en su casa asistidas por una comadrona acreditada. Pero, en otros países como Inglaterra o Alemania, donde, desde hace pocos años, las mujeres con embarazos de bajo riesgo pueden parir en el hospital, en una casa de nacimiento o en su propia casa, con una comadrona acreditada por sus sistemas nacionales de salud respectivos, los derechos de las mujeres han sido el resultado de una larga lucha. Geisel cuenta, por ejemplo, que en Alemania fue el trabajo de un grupo de comadronas jóvenes el que condujo, a finales de los ochenta, a la fundación de las dos primeras casas de parto, en Berlín. Poco después, Geisel participó activamente en la creación de la tercera casa de parto alemana, situada en su ciudad, Frankfurt, donde luego vería nacer a su nieta. En 2009, ya eran ciento veinte las casas de parto construidas en todo el país, siempre al lado de un hospital de referencia y con unos requisitos claramente especificados, como la atención *one to one*, es decir, una comadrona por parturienta, y la derivación obligada de todos los embarazos de menos de 37 semanas de gestación o de riesgo a los centros sanitarios. Actualmente, la ley alemana establece que todos los nacimientos deben ser asistidos por una matrona, y reserva la intervención del obstetra para los partos complicados o con indicación médica previa. El texto jurídico estipula que, incluso un médico especializado en obstetricia, no debe asistir un alumbramiento solo, sin la matrona.

Geisel, Van Tuyl y Oor coinciden en que las mujeres que reciben más información son las que acaban decidiendo sobre el lugar y la forma de sus partos. Saben que en sus países se ha avanzado mucho, y desean lo mismo para Francia o España, pero aseguran que, en su tierra, aparecen nuevos caballos de batalla. En Alemania, insiste Geisel, sigue existiendo una tasa de cesáreas similar a la española; en Holanda, Van Tuyl y Oor tienen otras preocupaciones: en los últimos años, «algunas mujeres empiezan a rechazar el parto fisiológico por creer erróneamente que es primitivo o que una cesárea va a conservar intacto su cuerpo, su suelo pélvico y, por lo tanto, su sexualidad».

En Alemania existe, desde el año 1999, la Sociedad independiente para la calidad del parto extrahospitalario (QUAG, Gesellschaft für Qualität in der außerklinische Geburtshilfe), que realiza la recopilación de datos para la documentación y evaluación de la calidad de la atención al parto y al embarazo fuera del hospital, y en 2009 recogía en sus estadísticas el 90% de los nacimientos asistidos en casas de partos. Entre 2000 y 2004, se registró información sobre más de 40.000 nacimientos. He aquí algunos resultados: se practicaron un 6% de episiotomías, se intervino por cesárea al 4% de las mujeres trasladadas al centro sanitario de referencia, que fueron aproximadamente entre el 10 y el 13% del total. La gran mayoría de estas mujeres pudieron alumbrar sin problemas, porque una tarea decisiva de las matronas es justamente reconocer el inicio de complicaciones. A los cinco minutos de nacer, el 99% de los recién nacidos obtuvieron un índice Apgar superior a 7.

3

Fases del parto. Respetar los tempos

Glosario

Administración de oxitocina sintética intravenosa. La oxitocina es una hormona que segrega el cerebro de los mamíferos y que regula la estimulación de la contracción del músculo liso del útero durante el parto, así como la producción de leche y el establecimiento de la conducta o instinto maternal en el momento del nacimiento. La administración por vía intravenosa de oxitocina artificial es utilizada frecuentemente para acelerar el trabajo de parto, después de la rotura de la bolsa amniótica, sea de forma espontánea o provocada.

En términos generales, una revisión de los manuales científicos indica que el uso de oxitocina es un método seguro de aceleración del trabajo de parto, pero debe limitarse a los casos de necesidad —como, por ejemplo, cuando un parto progresa de forma anormal— y no ser administrada de forma rutinaria. Numerosas guías indican la utilidad de la deambulación libre o los cambios de posición, como métodos para acelerar el trabajo de parto de forma menos brusca, dolorosa y más segura, antes de administrar oxitocina. ¿Por qué? Esta práctica requiere a menudo —aunque no en todos los casos— una monitorización cardíaca continua del latido fetal y la consecuente inmovilización de la parturienta, porque puede alterar la frecuencia cardíaca del feto. Además, al aumentar el dolor y el ritmo de las contracciones de forma artificial, se relaciona directamente con un aumento en la demanda de analgesia epidural y de la tasa de partos instrumentados, con fórceps o ventosas. La oxitocina sintética también puede producir contracciones tan intensas y constantes que se puede llegar a comprometer el bienestar fetal. Si el expulsivo se alargara más de lo normal, también podría poner en riesgo la integridad del útero.

La oxitocina artificial también es utilizada para inducir —es decir, provocar— el inicio del parto. Una comparación de la oxitocina con otros fármacos para inducir el trabajo de parto (prostaglandinas intracervicales o vaginales o rectales) reveló una mayor eficacia de la prostaglandina, pero también una mayor incidencia de efectos secundarios para la madre (náuseas y vómitos).

Amniotomía temprana. Es la rotura artificial de la bolsa amniótica, practicada a menudo como rutina para acelerar el progreso del parto después de la admisión de la mujer de parto en un hospital. Puede reducir la duración del parto entre 60 y 120 minutos. Su práctica indiscriminada está desaconsejada, excepto en los casos de progreso anormal del parto, porque la literatura científica la ha relacionado con un incremento de las cesáreas y de anormalidades en los registros cardiotocográficos. En la práctica clínica se observa que, tras una amniotomía temprana, las contracciones son percibidas como más dolorosas por la mujer y se reduce la protección fetal infecciosa y traumática.

Enema. La lavativa, normalmente señalada como muy molesta por la mujer de parto, se ha venido administrando de forma sistemática durante años para evitar, supuestamente, el contacto de la materia fecal materna con posibles heridas en el recién nacido. Sin embargo, múltiples estudios han demostrado que, sin enema, la emisión de heces es más fácil de limpiar y que su aplicación no tiene ningún efecto positivo sobre la duración del parto, ni sobre el índice de infecciones neonatales o del periné.

Episiotomía. Hasta hace pocos años, era la operación más frecuente en obstetricia. Las episiotomías o incisiones en el periné tenían como objetivo acortar la segunda fase del parto y evitar desgarros perineales. Los estudios al respecto han desterrado el uso indiscriminado de esta práctica, enormemente molesta para la madre, e indican que se debe reservar para los casos en que aparece un sufrimiento fetal, un progreso insuficiente de parto o la amenaza de un desgarro de tercer grado. Su uso liberal se asocia con índices mayores de daño perineal y un menor número de mujeres con el periné intacto.

Líquido amniótico. Es un líquido claro y ligeramente amarillento contenido en el saco amniótico que rodea el feto dentro del útero durante el embarazo y que alcanza unos 600 mililitros de concentración, cuando el bebé cumple las 40 semanas de gestación. El líquido amniótico ayuda al feto a moverse en el útero, lo cual permite el crecimiento óseo apropiado, el desarrollo de los pulmones, el mantenimiento de una temperatura relativamente constante y la protección de lesiones externas. Una cantidad excesiva de líquido amniótico se denomina polihidramnios y puede ocurrir en embarazos múltiples (mellizos o trillizos), cuando existen anomalías congénitas o cuando la madre tiene diabetes gestacional, o en algunos casos de causa idiopática, es decir, sin patología añadida. Una cantidad anormalmente pequeña de líquido amniótico se denomina oligohidramnios y puede ocurrir en embarazos tardíos o cuando se presenta una rotura de membranas, disfunción placentaria o anomalías fetales. Las cantidades anormales de líquido amniótico pueden requerir una mayor vigilancia del embarazo o una intervención de urgencia durante el parto.

Líquido amniótico, evaluación. La presencia de meconio o la poca cantidad de líquido amniótico es un signo de alarma, porque podría hacer sospechar una pérdida de bienestar fetal.

Monitorización del latido fetal. Existen varios métodos de monitorización de la frecuencia cardíaca fetal: desde la auscultación intermitente, mediante un aparato Doppler manual (ultrasonidos) o mediante estetoscopio de Pinard —menos frecuente—, hasta la monitorización cardíaca electrónica, que puede ser intermitente —es decir, unos 15/20 minutos cada hora— o continua —todo el tiempo—. Esta monitorización de la frecuencia del latido fetal puede ser interna o externa, dependiendo de la integridad o no de las membranas. También se empieza a utilizar un tipo de monitorización electrónica a distancia.

El primer método permite la libre deambulación de la mujer y consiste en realizar una auscultación cada 15 a 30 minutos, durante la dilatación y, después de cada contracción, durante el expulsivo. El segundo requiere la inmovilización constante de la embarazada cuando es continuo o, de forma intermitente, en el segundo caso.

La monitorización continua proporciona un alto índice de falsos positivos, especialmente en mujeres de bajo riesgo. Aunque ha demostrado ser de gran utilidad en embarazos de alto riesgo, en los partos normales, en cambio, eleva el índice de partos instrumentados y cesáreas, y no reduce ni los valores del índice de Apgar ni las muertes perinatales, excepto en el caso —poco habitual— que se produzcan convulsiones.

Por estos motivos, los documentos científicos recomiendan el uso de la auscultación intermitente mediante Doppler o monitor electrónico durante un parto normal. Sólo los partos inducidos o de riesgo (complicados) parecen beneficiarse de la monitorización electrónica continua. En los partos de bajo riesgo, este tipo de monitorización incrementa el número de intervenciones sin claro beneficio para el feto.

Progreso anormal de parto y partograma. El partograma es una herramienta elaborada por la OMS con la finalidad de realizar una adecuada evaluación y registro del progreso del parto. Mide las constantes vitales maternas, el estado fetal, de la bolsa amniótica, el color de las aguas, la evolución de la dilatación del cuello uterino y la dinámica uterina, es decir, el ritmo de las contracciones y la posición y situación fetal. Su uso es considerado de gran utilidad para evitar actuaciones innecesarias y establecer la diferencia entre progreso normal y anormal del trabajo de parto. Esta herramienta, similar a una hoja de registro, establece que el parto se ha estancado, si la mujer dilata a un ritmo menor de un centímetro por hora, durante cuatro horas una vez establecida la dinámica uterina. Llegados a este punto, puede ser necesario intervenir con prácticas, como la rotura de la bolsa amniótica o la administración de oxitocina artificial, eficaces para acelerar el trabajo de parto.

En la elaboración del proyecto pilotado desde el Hospital de Manacor (Mallorca) para la Estandarización de las indicaciones de cesáreas, los profesionales observaron que uno de los puntos de los protocolos hospitalarios en los que había menos unidad de criterio y más discusión sobre cómo proceder era el que establecía en qué circunstancias se estaciona un trabajo de parto. Tras recopilar y revisar la evidencia científica internacional, este documento establece que se puede hablar de progreso anormal de parto, cuando, a pesar de que la dinámica uterina sigue activa, es decir, continúan produciéndose contracciones, el proceso de dilatación avanza a menos de un centímetro por hora. Estas condiciones deben cumplirse durante cuatro horas (tres horas, cuando se trata de un parto vaginal después de cesárea), con la bolsa amniótica ya rota.

Rasurado del vello púbico. El afeitado de la zona perineal durante el trabajo de parto es una de las prácticas que la investigación científica considera injustificado aplicar de forma rutinaria, debido a las molestias que ocasiona en la mujer a largo plazo —cuando vuelve a crecer el vello— y porque no está comprobada su eficacia en la prevención de infecciones. Se podría practicar ocasionalmente, si es necesario, en el momento de realizar una sutura.

Tacto vaginal. Es un método de diagnóstico esencial en el reconocimiento del comienzo y el progreso del parto. El profesional introduce la mano en el canal del parto para valorar la posición, consistencia, longitud y dilatación del cuello uterino, así como la posición, situación (o grado de encajamiento), descenso y rotación de la cabeza fetal. El tacto vaginal también es útil para valorar la arquitectura de la pelvis. Teniendo en cuenta que dicha exploración conlleva un cierto riesgo de infección, la OMS recomienda limitar el número de tactos vaginales a los estrictamente necesarios durante la primera fase del parto. En su *Guía de cuidados del parto normal*, de 1996, la OMS indica que, «generalmente, uno cada cuatro horas es suficiente», y que deben realizarse siempre con el consentimiento de la embarazada.

Test por acidosis. Consiste en el análisis de una muestra sanguínea del cuero cabelludo del feto para detectar el estado ácido-base de la sangre o pH, cuando se han detectado previamente alteraciones de la frecuencia cardíaca fetal.

Fuentes

- *Cuidados en el parto normal. Una guía práctica*. Informe presentado por el Grupo Técnico de Trabajo de la OMS. Departamento de Investigación y Salud Reproductiva, OMS, Ginebra, 1996.
- *Estrategia de atención al parto normal* en el Sistema Nacional de Salud. Ministerio de Sanidad y Política Social, Madrid, 2007.
- *Iniciativa Parto Normal. Documento de consenso*, FAME (Federación de Asociaciones de Matronas de España); Barcelona, 2007.
- *NICE clinical guideline 55*. «Intrapartum care. Care of healthy women and their babies during childbirth». National Institute for Health and Clinical Excellence, septiembre 2007.

Una cascada de intervenciones

La *Guía de práctica clínica para la asistencia al parto normal* en el SNS, basada en la revisión de la evidencia científica y la experiencia de otras guías similares, como la *NICE* inglesa, define el parto de una mujer sana como un hecho fisiológico en el que sólo se debería intervenir cuando surjan complicaciones. Ambos documentos establecen que las tres fases del parto —dilatación, expulsivo y alumbramiento— requieren control profesional y cuidados individualizados, así como el respeto de la autonomía y la capacidad de decisión informada de la embarazada.

Para cumplir estos requisitos, uno de los primeros objetivos consiste en detectar correctamente el inicio de un trabajo de parto y evitar un ingreso temprano. Los manuales internacionales aconsejan, en este sentido, aplazar la admisión en el centro sanitario hasta que la mujer presente contracciones rítmicas y regulares que hagan progresar la dilatación y se haya iniciado el descenso de la cabeza fetal. En mujeres de bajo riesgo —casi el 80% de los casos en los países occidentales—, este aspecto parece ser fundamental para evitar la llamada «cadena de intervenciones», innecesarias e injustificadas, que revierte directamente en un aumento de la tasa de partos instrumentados y cesáreas. Sin embargo, en multitud de centros sanitarios se ha venido practicando como rutina el ingreso de parturientas con sólo un centímetro de dilatación, a las que enseguida se monitoriza de forma continua, aunque no exista malestar fetal, se rompe la bolsa amniótica y, a continuación, se administra una infusión intravenosa de oxitocina. Tales rutinas, que se presentan en cadena y rompen el curso natural del trabajo de parto, es habitual que se lleven a cabo sin consultarles, sin informarles de los posibles efectos secundarios de las mismas y sin darles ningún tipo de alternativa. Todavía son pocos los centros donde se informa a las mujeres de los signos para reconocer cuándo están realmente de parto, y de los beneficios de algunos métodos, como la auscultación intermitente del latido fetal o la libertad de movimientos durante la dilatación.

El manejo expectante o fisiológico de las tres fases del parto revierte en una recuperación mucho más rápida de la mujer —sin puntos de sutura en el periné, por ejemplo—; desemboca en una valoración psicológica más satisfactoria para padre, madre e hijo; favorece la instauración de la lactancia y requiere menor inversión económica en aparatología. Siguiendo estas pautas, con el asesoramiento de un equipo obstétrico, las mujeres tienen muchas menos posibilidades de recibir una episiotomía injustificada o de ver nacer a su hijo asistido por fórceps o por la técnica quirúrgica de la cesárea, que son altamente útiles para salvar vidas en casos de complicación o patología previa pero que resultan en una mayor morbimortalidad maternofetal cuando no existe una clara indicación médica para practicarlas.

Cada día más profesionales advierten que un correcto diagnóstico del inicio de la fase activa de parto o del posible estancamiento del mismo lleva a los mejores resultados perinatales. Pero saber, conocer, preguntar, estar informada puede ser todavía clave para la gestante. Este capítulo ofrece una definición de cada fase del parto y el resumen de algunas de las recomendaciones indicadas, según las fuentes citadas en el Glosario.

Diagnóstico del período y la fase del trabajo de parto

Signos y síntomas	Período	Fase
Cuello uterino no dilatado	Falso trabajo de parto	Pródromos
Cuello uterino dilatado menos de 4 cm	Primer período	Latente
Cuello uterino dilatado de 4-9 cm. Tasa de dilatación característica de 1 cm por hora o más. Comienza el descenso fetal	Primero	Activa
Cuello uterino totalmente dilatado (10 cm). Continúa el descenso fetal. No hay deseos de pujar	Segundo	Temprana (no expulsiva)
Cuello uterino totalmente dilatado (10 cm). La parte fetal que se presenta llega al suelo de la pelvis. La mujer tiene deseos de pujar	Tercero*	Avanzada (expulsiva)

*El tercer período del trabajo de parto comienza con el parto del bebé y termina con la expulsión de la placenta.

FUENTES

Manejo de las complicaciones del embarazo y el parto: Guía para matronas y médicos. OMS, Departamento de Salud Reproductiva e Investigaciones Conexas, Ginebra, 2002.

Iniciativa Parto Normal. Documento de consenso. FAME, Barcelona, 2007.

3.1. Trabajo de parto. Cómo favorecer la dilatación

Los documentos científicos recomiendan las siguientes pautas de actuación durante el proceso de dilatación:

- Preguntar a las mujeres y a sus parejas sobre sus deseos y expectativas ante el parto.
- Instruir a la embarazada en el reconocimiento de los signos de un verdadero trabajo de parto para reducir el número de consultas de guardia por falsos trabajos de parto y, después de un primer reconocimiento a través del tacto vaginal, alentarlas a volver a casa o permanecer cerca del recinto hospitalario, según la cercanía del domicilio y los resultados de esta primera observación de las constantes vitales de parturienta y feto.
- Informar a las mujeres primigestas de que, una vez establecido el trabajo de parto, la duración media de la dilatación será de ocho horas, siendo improbable que dure más de dieciocho. A partir del segundo parto, la media se reduce normalmente a cinco horas y no es probable una duración superior a doce.
- Evitar la práctica rutinaria de rasurado del vello púbico y la aplicación de enema.
- No realizar la rotura de la bolsa amniótica o la infusión de oxitocina intravenosa a no ser que se produzca un estancamiento del trabajo de parto, una condición que, según los manuales de OMS, se produce cuando el ritmo de dilatación es menor de un centímetro por hora durante cuatro horas, en las mujeres primíparas, y a partir de los 4 cm de dilatación.

- Facilitar que la gestante pueda moverse libremente y elegir las posturas que se adecuen mejor a sus necesidades y preferencias. Para conseguir que se cumpla esta recomendación, es necesario auscultar el latido fetal de forma intermitente y reservar la monitorización cardíaca electrónica continua para los casos de alto riesgo y también en parte de los casos en los que se ha administrado analgesia epidural y/u oxitocina artificial y se requiere de un mayor control. Asimismo, se recomienda cambiar la auscultación intermitente por monitorización electrocardiográfica fetal, si el líquido amniótico aparece teñido, la frecuencia cardíaca fetal es anormal o aparece fiebre materna, sangrado o cualquier otro signo de alteración del curso normal.
- Potenciar entornos amigables e íntimos para que la mujer pueda recibir las contracciones con ayuda de métodos complementarios del manejo del dolor y, también, gracias a la cascada de hormonas que su cuerpo está diseñado para producir en condiciones de intimidad.
- Limitar el número de tactos vaginales a los mínimos imprescindibles, solicitar el consentimiento previo y explicar los hallazgos con sensibilidad.
- Permitir y alentar a todas las mujeres a que cuenten con personas de apoyo durante todo el proceso, de modo ininterrumpido y desde las etapas más tempranas, si así lo desean.

TESTIMONIOS SOBRE LA DILATACIÓN

Elisabeth Orthis,
madre de Agustina y David (Santa Coloma de Farners, Girona)

PARTO 1: FISIOLÓGICO EN EL HOSPITAL LA PLATA (ARGENTINA)

- Auscultación del latido fetal: intermitente.
- Posición durante la dilatación: deambulación libre.
- Contacto madre-recién nacido: precoz.

PARTO 2: FISIOLÓGICO EN HOSPITAL. BUENAS PRÁCTICAS

- Auscultación del latido fetal: intermitente.
- Posición durante la dilatación: deambulación libre.
- Contacto madre-recién nacido: inmediato.

La oxitocina, a su tiempo

La historia de parto de Elisabeth Orthis ilustra cómo y por qué todas las mujeres tienen derecho a ser asistidas conforme a la última evidencia científica, sin tener que pedirlo explícitamente. Elisabeth tiene 21 años, es argentina y vive, desde los 19, en Santa Coloma de Farners. Se casó con Francesc Gómez cuando supo que estaba embarazada de este chico de mirada afable, de 26 años, que trabaja en una fábrica de la misma localidad.

No leyeron ningún libro sobre parto natural, ni habían oído hablar nunca de planes de parto. Sólo les dijeron que el Hospital Santa Caterina de Salt (Girona), que es el que les tocaba de referencia, «está muy bien». Cuando entré en su habitación en la maternidad gerundense, ofrecían la viva estampa de la calma y, poco a poco, con una voz pausada que dejaba entrever el cansancio, me fueron regalando el relato de su parto, un poco sorprendidos quizá de que una periodista quisiera contar algo que fue como tenía que ser. Desde siempre.

Elisabeth empezó a tener contracciones pasada la medianoche. Eran seguidas, cada cinco minutos, pero no fue con su marido a urgencias hasta que rompió aguas unas horas más tarde. En el centro sanitario, la monitorizaron durante treinta minutos. Comprobaron que estaba de apenas dos centímetros y que las contracciones se habían parado. El parto se estancaba. La dejaron acostarse en la habitación, tomar un baño y luego la animaron a ir a dar una vuelta y pasear un rato.

A mediodía del día siguiente volvieron las contracciones, pero esta vez eran muy fuertes. La auscultaron con el monitor electrónico durante quince minutos y, al comprobar que no había indicios de malestar fetal, dejaron que se duchara. Luego estuvo casi tres horas utilizando pelotas de goma y otros instrumentos de soporte para la relajación, ubicados en una sala de dilatación muy luminosa que existe en este hospital público gerundense. Como empezaba a estar muy cansada y el parto se alargaba, le propusieron la administración de una dosis baja de oxitocina artificial para ayudarla a superar esos seis centímetros de dilatación en los que parecía llevar estancada desde hacía horas. Fue «notar la hormona sintética y entrar en otro tipo de dolor mucho más insoportable», explica Elisabeth. Sin embargo, la joven argentina dijo que prefería que no le pusieran la analgesia epidural porque, en el ambulatorio, la comadrona ya le había explicado que los partos con esta analgesia «demoran mucho más». Y así, esta chica fuerte fue aguantando, con ayuda de las comadronas que la ayudaban a respirar mejor e «iban entrando y saliendo a cada rato, dándome todo su apoyo, pero también respetando en todo momento mis decisiones y mi necesidad de intimidad».

Cuando el pequeño David asomó su cabecita, el padre, que había sido durante todo el tiempo la viva imagen de la tranquilidad, no aguantó más y rompió a llorar de emoción y cansancio. Con un punto de alegría y otro más de orgullo, Francesc explica que le dejaron cortar el cordón umbilical y que tuvieron a David en brazos desde el momento en que nació. El bebé se agarró al pecho, solito, al cabo de una hora. Para su madre, no hay mucho más que contar: a su primera hija, Agustina, también la tuvo encima desde su primera hora de vida, y luego le dio el pecho durante casi un año y medio. «Eso es habitual en Argentina», narra un tanto sorprendida por mis preguntas. ¿Dolor? «Durante un rato fue "horrible", pero al cabo de poco, me recuperé», explica. Su joven marido parece que la mira con toda su calma. Dice que la admira.

Teniendo en cuenta que los estudios científicos aseguran que poder moverse libremente durante el proceso de dilatación ayuda a la mujer a afrontar la sensación dolorosa de las contracciones, la FAME recopiló e ilustró con dibujos la serie de posiciones más indicadas por la evidencia científica para esta fase del parto en su documento *Iniciativa Parto Normal*:

- Posición en decúbito supino —es decir, tumbada sobre la espalda—: está contraindicada en el trabajo de parto, dado que el peso del útero puede provocar compresión aorto-cava y la reducción del flujo sanguíneo puede comprometer el bienestar del feto.

- Posición vertical —es decir, cualquier posición que evite el estar tumbada y que incluya, en cambio, la deambulación libre—: contribuye a reducir el dolor de las contracciones y, en consecuencia, se presenta menos necesidad de analgesia epidural, menos alteraciones en el patrón de la frecuencia cardíaca fetal. Acorta el tiempo de esta primera fase de parto y favorece que el bebé tenga el máximo espacio posible en la pelvis.

La verticalidad posibilita el cambio entre las diversas posiciones subsiguientes:

1) Sentada, con la ayuda de pelotas específicas de goma.
2) De pie, apoyada con las manos en la pared, con las piernas bien separadas, oscilando y girando cuando las contracciones no son tan eficaces, o bien inclinándose hacia delante con los antebrazos apoyados en la pared y los hombros bien relajados.
3) De rodillas. Sobre el suelo, con la espalda recta, las piernas separadas y los tobillos hacia fuera, es una buena posición para abrir la pelvis y liberar las tensiones de la espalda; también se puede hacer con los antebrazos planos en el suelo.
4) Cuadrupedia o a cuatro patas. Es una posición muy útil cuando el dolor es fuerte en la zona lumbar; el masaje, la contrapresión y el calor alivian mucho. Sirve para intentar que roten las presentaciones fetales posteriores.
5) En cuclillas en la banqueta de partos o en el retrete.

Las ilustraciones se pueden consultar en: http://www.federacion-matronas.org/ipn/documentos/iniciativa-parto-normal

3.2. Dar a luz. La mujer elige la postura que le es más cómoda

En la mayoría de los protocolos hospitalarios, la dilatación completa a diez centímetros se ha venido utilizando como indicación básica del inicio de esta segunda fase del parto, llamada expulsivo, que da paso al nacimiento de la criatura. Los manuales de atención al parto normal de la OMS, sin embargo, establecen que la segunda fase del parto empieza cuando la mujer siente necesidad de empujar, cuando cambia la presentación fetal y cabeza o nalgas están muy bajos, apoyan en el recto y despiertan el reflejo de defecar y la sensación de pujo. A menudo, las membranas se rompen espontáneamente y, en general, se produce una dilatación total del cuello uterino, aunque, en ocasiones, la mujer siente el deseo de pujar en una fase anterior de la dilatación y, si queda un reborde del cuello todavía no dilatado del todo, la cabeza del feto lo apartará.

Durante años, al inicio de esta fase del parto, las mujeres eran trasladadas al paritorio desde una sala de dilatación o desde su habitación. Actualmente, en cambio, se aconseja realizar este traslado sólo en los casos en que se deba practicar un parto instrumentado. Cuando el expulsivo sigue una evolución normal, se aconseja no mover a la mujer de la habitación, no alentarla a pujar si no siente deseos y, sobre todo, dejar que adopte la posición que sienta como más cómoda. Hasta hace poco, los estudios indicaban que la postura de la mujer tumbada sobre la mesa de partos tradicional era la que facilitaba una mayor apertura de la pelvis y facilitaba mejor la salida de la criatura. Sin embargo, en los últimos años, se ha comprobado que es mejor que la mujer adopte la posición que desee en ese momento. Los documentos científicos recomiendan las siguientes pautas de actuación:

- **Sobre la duración.** Durante la segunda fase del parto, la oxigenación del feto se ve gradualmente reducida, ya que está siendo expulsado de la cavidad uterina y esta acción produce una retracción del útero y la disminución de la circulación placentaria y del intercambio de oxígeno y CO_2 entre feto y parturienta.

En algunos centros, las matronas deciden iniciar la fase activa del expulsivo animando a la mujer a empujar, una vez se ha diagnosticado la dilatación completa, pero las guías indican que es mejor esperar a que la mujer sienta ganas de presionar, porque las contracciones fuertes y el pujo activo de la mujer pueden reducir todavía más la circulación uteroplacentaria. Así lo indica la *Guía de cuidados del parto normal* de la OMS, que ya estipulaba, en 1996, que «las decisiones acerca de acortar el expulsivo deben basarse en la vigilancia de la condición materna y fetal y el progreso del parto». La terminación activa del parto —incitando a la mujer a pujar— está indicada sólo cuando aparecen signos de malestar fetal o la cabeza no desciende en la pelvis. Pero, según esta misma guía, si el estado de la parturienta es satisfactorio, el feto está en buenas condiciones y existe evidencia de descenso de la cabeza fetal, es preferible no intervenir.

Las excepciones a esta regla también están descritas en los manuales: después de un expulsivo de más de dos horas en nulíparas y más de una hora en multíparas, las opciones de un parto espontáneo decrecen y su terminación debería ser contemplada. La *Guía de práctica clínica para la asistencia al parto normal* en el SNS aconseja que el nacimiento se produzca en las cuatro horas siguientes a producirse la dilatación completa, independientemente de la paridad. Cuando la mujer ha recibido analgesia epidural, en cambio, recomienda no empezar el pujo antes de una hora de confirmada la dilatación completa, porque, al inhibirse con esta analgesia la fuerza motora de las piernas y, por lo tanto, el reflejo de pujar, es mejor esperar hasta que el vértex esté bien visible. Las investigaciones realizadas al respecto indican que el retraso en el pujo no produce ningún efecto adverso en el resultado neonatal y, en cambio, sí revierte sobre un menor índice de partos instrumentados con fórceps.

• **Sobre la posición.** Todos los documentos científicos consultados aconsejan permitir que las mujeres adopten la postura que espontáneamente prefieran y capacitar a los profesionales para que puedan atender el parto normal en posiciones diferentes a la supina (semirrecostada) en una mesa obstétrica tradicional. Existen diversas razones: primero, porque los resultados de numerosos ensayos han demostrado menos alteraciones del latido cardíaco fetal, así como del pH de los vasos umbilicales. Las posturas verticales —de pie, en cuclillas, de rodillas o semisentada en la cama obstétrica— y la lateral ofrecen otras ventajas sobre la supina, especialmente la de litotomía —tumbada— o tradicional: disminuyen el dolor y la necesidad de analgesia, acortan este segundo período del parto, mejoran la dinámica uterina y disminuyen el índice de partos y cesáreas, al favorecer un mejor alineamiento de la cabeza fetal. Entre sus desventajas, está un posible incremento de los desgarros de tercer grado.

Las ilustraciones se pueden consultar en: http://www.federacion-matronas.org/ipn/documentos/iniciativa-parto-normal.

• **Sobre la episiotomía.** Esta práctica, generalizada durante muchos años en España, y en el mundo, consiste en llevar a cabo una incisión en el periné para aumentar la apertura vaginal durante la última parte del período expulsivo del trabajo de parto. Este procedimiento se realiza con tijeras o bisturí y debe repararse por medio de una sutura. Se empezó a practicar de forma rutinaria, en la mayoría de los casos, como profilaxis ante un posible desgarro, más difícil de reparar, y porque se observó que prevenía el desgarro perineal severo. Sin embargo, una última revisión de la Biblioteca Cochrane del año 2008, que analiza los últimos estudios y modificaciones al respecto, concluye que «la episiotomía restrictiva parece tener un cierto número de beneficios en comparación con la práctica de la episiotomía rutinaria». Entre ellos, destacan menos trauma perineal posterior, menos necesidad de sutura y menos complicaciones. No obstante, con el uso restrictivo de la episiotomía, se registró un mayor riesgo de trauma perineal anterior. Según los manuales de la OMS, «sólo se debería realizar esta incisión quirúrgica cuando aparecen signos de sufrimiento fetal, un progreso insuficiente del parto, un expulsivo demasiado largo o la amenaza de un desgarro de tercer grado (incluyendo desgarros de tercer grado en partos anteriores). Estas tres indicaciones son válidas, aunque la predicción de un desgarro de tercer grado es muy difícil. Su incidencia es de un 0,4% y el diagnóstico de una amenaza de desgarro de tercer grado sólo debería hacerse ocasionalmente». Algunas investigaciones señalan que estas indicaciones representan sólo el 10% de los casos, mientras que en España se ha venido practicando durante años en más de la mitad de los partos. Según la Estrategia de Atención al Parto Normal del Ministerio de Sanidad y Política Social, en 2005, alguna comunidad autónoma aislada presentaba un índice del 33 %, pero la mayoría se movían en torno al 50 % y algunas de ellas alcanzaban el 73 % en su tasa de episiotomías.

TESTIMONIOS SOBRE EL EXPULSIVO

Candy Cabrera,
madre de Eloy y Joel (Granada)

PARTO 1: HOSPITAL DE REFERENCIA
- Auscultación del latido fetal: monitorización cardíaca continua.
- Posición durante la dilatación: decúbito supino (tumbada).
- Contacto madre-recién nacido: al cabo de 5 horas debido a hipotermia.

PARTO 2: FISIOLÓGICO EN HOSPITAL. BUENAS PRÁCTICAS
- Auscultación del latido fetal: intermitente.
- Posición durante la dilatación: deambulación libre.
- Contacto madre-recién nacido: precoz.

«Que no me den más voces.»

«Cuando fui a parir a mi primer hijo, no tenía ningún tipo de información. Tampoco creía necesitarla, porque pensaba que todo dependía de los médicos.»

Sucedió todo tan rápido que a Candy Cabrera parece que le cueste poner horas y minutos al relato de su primer parto. En tan sólo siete horas ya estaba completamente dilatada. Había hecho la mayor parte del trabajo de parto en la habitación del hospital, sola, paseando del baño a la cama y cambiando de postura, según le apetecía. Cuando llamó al personal sanitario, ya no dio tiempo a ponerle la analgesia epidural. Eloy nació de «parto natural». «Fue sin quererlo, y siempre que natural quiera decir sin ningún tipo de analgesia», admite con un claro deje de protesta. Pero las palabras se atropellan, de repente, unas a otras, y en su contundencia resuena la fuerza de los giros de algunas expresiones andaluzas. Asegura que la llevaron en camilla, tumbada y con los pies atados. «¡Aprieta, así no!», le decían. «Me daban voces, me regañaban, golpeándome las piernas, y había mucha gente», narra Candy, confusa. «El ginecólogo cogió un taburete y se echó encima» de su abultada panza. Así consiguió que apretara, haciéndole una maniobra de Kristeller, una presión sobre el útero desaconsejada desde hace años.

Eloy salió, con ayuda de ventosas y una episiotomía «bien apañá», insiste la cordobesa. Se lo dieron envuelto en una tela verde durante unos segundos, mientras seguían suturando la episiotomía. Enseguida se lo llevaron, alegando que la criatura estaba muy fría. Pasó casi cinco horas bajo la lámpara de infrarrojos. Cuando se lo llevaron a la habitación, nadie le explicó cómo ponérselo al pecho. El dolor de la episiotomía le impidió andar y sentarse durante días.

Cuando quedó embarazada de su segundo hijo, Joel, al cabo de poco más de un año, contaba que lo tendría en casa. Tampoco sabía muy bien por qué razón. «Sólo sabía lo que no quería», dice Candy. Deseaba que no le «dieran más voces», que no hubiera tanta gente en el paritorio, que no se le echaran «encima», que no le hicieran la episiotomía y que le dejaran elegir la postura en el momento de parir. ¿Y la analgesia epidural? Estaba convencida de que no haría falta, porque ya había experimentado el dolor y «no era como para morirse».

Pero su marido no quiso que Joel viniera al mundo en casa y escogieron el Hospital Clínico Universitario San Cecilio de Granada, orientados por una comadrona amiga suya, que les explicó que en este centro admiten planes de parto. Cuando narra el nacimiento de Joel, su rostro muda de felicidad. Todos sus deseos se vieron cumplidos, pero, sobre todo, recuerda el compendio de olores, el trato suave de Marta, la comadrona, y el ambiente de intimidad que vivió. Parió de rodillas, apoyada con los brazos al respaldo de la cama del paritorio.

«Nunca olvidaré la sensación de coger al bebé con su cordón umbilical todavía latiendo dentro de mí.»

En España, las mujeres todavía acostumbran a parir semirrecostadas —en decúbito dorsal o litotomía—. El motivo: los profesionales han defendido esta posición en el período expulsivo porque permite acceder más fácilmente al abdomen materno. Muchas mujeres, como Candy Cabrera, relatan sin embargo grandes beneficios físico-emocionales por haber podido parir en la posición que más deseaban en aquel momento. Una revisión de la base de datos Cochrane, de 2004, asocia diversos beneficios a la posición vertical —sentada, arrodillada, en cuclillas— en comparación con la habitual, semirrecostada —supina o litotomía—. Entre ellos, destaca la reducción del tiempo del período expulsivo, de la tasa de episiotomías, una leve disminución de la tasa de partos instrumentados y también de las alteraciones del ritmo cardíaco del bebé. Como efectos adversos, algunos ensayos indican un mayor riesgo de pérdida de sangre superior a 500 mililitros y de desgarros de segundo grado (aunque no de tercero y cuarto grado), pero la experiencia clínica en los hospitales pioneros indica que, cuando el parto es fisiológico, la oxitocina que se segrega de forma natural en el momento del expulsivo facilita la contracción del útero para la separación y expulsión de la placenta y evita el sangrado.

Manel Fillol,
jefe de servicio de Ginecología y Obstetricia del Hospital La Plana (Vila-real, Castellón)

Datos de 2008:

- 14,7% cesáreas
- 19,8% episiotomías
- 15,5% partos instrumentados
- 38,5% epidurales

Más cerca de Suecia o Inglaterra

Este profesional entrañable y cercano, miembro de la Sección Especial de Suelo Pélvico de la Sociedad Española de Ginecología y Obstetricia (SEGO) y jefe de servicio de Ginecología y Obstetricia en el Hospital La Plana de Vila-real (Castellón), asegura que la episiotomía no evita desgarros, ni incontinencias fecales y, en cambio, puede provocar lesiones en el esfínter anal. Pero, sobre todo, me insiste Fillol, «la diferencia entre practicar una episiotomía de rutina a las mujeres con un parto normal o no hacerlo se percibe en su calidad de vida después de dar a luz». Las madres sin episiotomía se recuperan mucho más rápido. La ausencia de dolor repercute sobre su bienestar y el del recién nacido. Además, continúa Fillol, «si lo que nos importa es el estado de salud de los participantes en el parto, no hay ninguna razón para realizar episiotomías de forma rutinaria», porque, excepto en los casos indicados como complicación —veánse sufrimiento fetal o progreso insuficiente del parto—, «no tiene ningún efecto protector». El razonamiento es lógico y está cargado de humanidad y sensibilidad hacia las mujeres. Por eso sorprende tanto que, durante muchos años, esta incisión tan molesta se haya practicado en más de la mitad de los partos normales, y de forma rutinaria.

Fillol explica que él se formó como médico obstetra en los años setenta, cuando «el parto era tratado como una enfermedad y la episiotomía era vista como una buena práctica profiláctica». Después de veinte años de especialización en este campo, el que los ginecólogos llaman «suelo pélvico», aterrizó en el Hospital La Plana un mes de abril del año 2001 para hacerse cargo de toda la sección de Ginecología y Obstetricia. El contacto con las matronas de la plantilla y su labor diaria de asistencia al parto desde la perspectiva fisiológica, le conminaron a replantearse muchas rutinas aprendidas y revisar de nuevo la bibliografía sobre la episiotomía. «La evidencia fue aplastante», asegura Fillol con entusiasmo. Desde entonces, el obstetra trabaja diariamente para que, en los círculos profesionales, sea aceptado este manejo del parto como el resultado de la evidencia científica, y no como «una moda pasajera». Dice que, en nuestro país, no se aplican algunos métodos, como la monitorización cardíaca intermitente o la política restrictiva de la episiotomía, debido a «una cuestión cultural que mantiene en vigor las órdenes médicas y todavía relega a las matronas al papel, totalmente inadecuado, de meras asistentes del médico».

Fue Fillol uno de los primeros en asegurarme que la asistencia al parto normal desde la perspectiva fisiológica que defienden algunos documentos, como la Estrategia del ministerio o la *Guía de práctica clínica*, y que él mismo ha contribuido a redactar, nos acercan a otros países que consideramos ejemplares, como Inglaterra o Suecia, y no, como se ha dicho a veces con afán peyorativo, al Tercer Mundo. Él mismo reconoce que tiene mucha importancia que esta frase la diga un obstetra como él, que ha trabajado siempre en la sanidad pública y tiene una credibilidad científica sumamente probada.

Cuando habla de sus deseos para el futuro, el obstetra asegura que le gustaría que este modelo de asistencia poco intervenido fuera vigente en todo el país, y no sólo en algunos centros. Y se muestra optimista al respecto: «Si yo pude cambiar la manera de atender los partos, otros también pueden hacerlo». De hecho, añade Fillol, este tipo de asistencia implica un gasto mínimo «en un mundo donde se despilfarran muchos recursos económicos». «Lo que sí exige es aumentar la inversión en recursos humanos, especialmente en la plantilla de matronas necesaria para un seguimiento más personalizado», añade.

El doctor Fillol pone un ejemplo ilustrativo como punto y

final a una larga conversación. Habla de la llamada «cascada de intervenciones», como un efecto que se debe evitar, y asegura que el trabajo de parto se parece al ascenso de una montaña: una persona querrá subir al pico en teleférico, porque le parecerá más cómodo, mientras que otra igual preferirá ir a pie, porque le gusta caminar y contemplar el paisaje con calma. La del teleférico pensará que el excursionista se esfuerza inútilmente, pero este último seguro que no lo envidiará, porque llegará a la cima enormemente satisfecho con el resultado. «Al final, cada persona está en su derecho de decidir cómo subir, pero la situación actual en la asistencia al parto en España deja pocas opciones alternativas a la del teleférico», asegura el jefe de servicio del Hospital La Plana.

3.3. Expulsar la placenta. Esperar o no

El alumbramiento es el período que se inicia después del nacimiento y comprende la separación y expulsión de la placenta. Su principal riesgo consiste en que la madre retenga la placenta o sufra, durante o después de la separación de la misma, una hemorragia posparto. Aunque los manuales de la OMS indican que la gran mayoría de estos casos se producen en países en desarrollo, la incidencia de esta complicación, que constituye una de las primeras causas de mortalidad materna en todo el mundo, se incrementa cuando existen diferentes factores de predisposición, como polihidramnios —excesiva presencia de líquido amniótico—, un embarazo múltiple, un parto complicado estimulado con oxitocina, un parto estacionado o un parto instrumentado.

La comunidad científica lleva años discutiendo sobre la idoneidad de ofrecer un manejo activo o expectante de esta fase del parto. La conducta activa comprendería un conjunto de intervenciones que tienen lugar de forma profiláctica y que pretenden facilitar la expulsión de la placenta. Entre ellas, destaca la administración de fármacos uterotónicos —oxitocina o ergometrina— y el pinzamiento temprano del cordón umbilical. La conducta expectante, en cambio, implica esperar la aparición de signos de separación de la placenta y su expulsión espontánea, así como el pinzamiento tardío del cordón umbilical.

En las bases de datos de estudios científicos, la mayoría de los ensayos realizados defienden la «conducta activa» sistemática, como mejor opción, porque reduce la pérdida de sangre, la hemorragia puerperal y otras complicaciones graves. Sin embargo, algunas guías de práctica clínica que constituyen un referente internacional, como la guía inglesa *NICE*, contemplan como válido el manejo expectante, cuando el parto es fisiológico y la mujer pertenece al grupo de bajo riesgo. Al poner al recién nacido en contacto «piel con piel» con la madre, se segrega un cóctel de hormonas naturales —prolactina y oxitocina, entre otras—, que contraen el útero, favorecen la salida de la placenta e inhiben el exceso de sangrado.

Debido a la inexistencia de acuerdo sobre este tema, la Estrategia de Atención al Parto Normal recomienda ofrecer el manejo activo, pero realizar más investigaciones sobre el riesgo de hemorragia en esta tercera fase, en los partos fisiológicos. Todos los documentos científicos coinciden en la necesidad de pinzar el cordón umbilical de forma tardía —después de cesar sus pulsaciones, es decir, de tres a cinco minutos después del parto—, dados los beneficios que esta acción tiene para el recién nacido, ya que se asocia a un índice menor de anemia de la criatura a las 24-48 horas posparto.

Si después del nacimiento, pero antes de pinzar el cordón, se coloca el niño en la vulva o por debajo por un espacio de tiempo superior a tres minutos, se produce un intercambio de aproximadamente 80 mililitros de sangre de la placenta al feto y los eritrocitos de este volumen sanguíneo serán rápidamente destruidos por hemólisis, lo cual proveerá cerca de 50 miligramos de hierro a las reservas del neonato y reducirá la frecuencia de anemia ferropénica durante la infancia.

Isabel Martínez,
madre de Pablo (Jaén)

PARTO 1: FISIOLÓGICO EN HOSPITAL. BUENAS PRÁCTICAS

- Auscultación del latido fetal: intermitente.
- Posición durante la dilatación: deambulación libre.
- Contacto madre-recién nacido: inmediato.

Un documental en televisión

Isabel Martínez vive en Jaén, pero parió a su hijo, Pablo, a finales de septiembre de 2010, en el Hospital San Juan de la Cruz en Úbeda, a cincuenta kilómetros de distancia de su casa. Es una mujer joven, con un trabajo fijo en unos grandes almacenes. Antes de quedarse embarazada, vio en la tele el documental «De parto», emitido en el programa *Documentos TV* de Televisión Española. Quedó «atónita». No le hizo falta consultar demasiados libros para convencerse de que no quería verse sometida al cúmulo de intervenciones que narraban algunas de las madres en ese reportaje. Supo enseguida que quería intentar un parto fisiológico, «por mi bien y el de mi bebé». En el hospital de referencia que le tocaba en Jaén no le aseguraban el respeto a este modelo de asistencia al parto y, como tantas otras mujeres de su zona, hizo las maletas para emprender el viaje al centro comarcal de Úbeda.

Allí dio a luz sin grandes lujos, en una habitación interior sin ventana, donde, sin embargo, se sintió «como si estuviera en casa». Estuvo horas paseando por los pasillos, se dio una ducha de vez en cuando y las matronas controlaron el latido del corazón de su hijo de forma intermitente, con un monitor «a ventanas» —unos veinte minutos cada hora—. Sintió dolor, pero no quiso la anestesia epidural, a pesar de que se la ofrecieron en varias ocasiones. Sólo recuerda comodidad, alivio, confort, y un acompañamiento «exquisito» por parte de su pareja y los matrones que la asistieron.

Cuando Pablo nació, el matrón se lo puso encima del pecho por debajo del camisón, piel con piel, como indican los libros. Durante la dilatación, los profesionales que la atendieron ya les habían explicado, a ella y a su marido, Justino, que si esperaban a que el cordón umbilical dejara de latir, antes de cortarlo, el niño se beneficiaría del intercambio de sangre procedente de la placenta y tendría menos posibilidades de desarrollar anemia durante la infancia. Dieron su consentimiento. Pocos minutos después del nacimiento, Justino pudo cortar —con una «sensación extraña»— ese lazo que había unido madre e hijo durante meses. De inmediato, con sólo un par de pujos, Isabel alumbró la placenta y el ciclo se fue cerrando, sin ningún tipo de efecto secundario.

Isabel no se desgarró, ni le hicieron ningún corte. Tampoco tuvo ningún tipo de sangrado anormal. A las pocas horas, ya se levantaba y su hijo se agarró al pecho enseguida. Pocos meses después, expresaba su satisfacción consigo misma y con la crianza de su bebé.

Joan Meléndez,
jefe de servicio de Ginecología y Obstetricia del Hospital Santa Caterina de Salt (Girona)

1.459 partos en 2009

Datos de 2009:

- 12,85% cesáreas
- 19,25% episiotomías
- 8,2% partos instrumentados
- 53,26% epidurales

Este obstetra afable, siempre disponible ante mis dudas acerca de datos o investigaciones científicas, dirige desde hace más de quince años el equipo de la unidad de Ginecología y Obstetricia del Hospital Santa Caterina de Salt (Girona) con muy poco afán jerárquico. Se muestra sorprendido cuando le pregunto qué tipo de manejo del alumbramiento llevan a cabo en su centro sanitario. Me asegura que, tanto en los partos de baja intervención —sobre los que tienen amplia experiencia en el centro—, como en los instrumentados o inducidos, siguen una conducta expectante, es decir, esperan a que la placenta se desprenda por sí sola, gracias a las contracciones del útero, y no suelen administrar ningún tipo de fármaco uterotónico, ni realizar maniobras manuales activas, a no ser que se produzca un sangrado anormal o la placenta tarde más de 30-45 minutos en desengancharse.

«Si me preguntas quién lleva a cabo el manejo activo, te diré que ya no conozco a casi ningún ginecólogo o matrona que lo practique, al menos en nuestro entorno», asegura Meléndez, que, después de una residencia en el Hospital Vall d'Hebron de Barcelona y una corta experiencia en el Hospital Josep Trueta de su ciudad natal, Girona, llegó al Hospital Santa Caterina de Salt para hacer una sustitución de verano, a finales de los ochenta, y ya no quiso marcharse. Le gustó cómo trabajaba el equipo. No seguían la corriente: pocas veces asistían el alumbramiento de forma activa, ni hace años, cuando la supremacía de la medicalización era el estandarte de tantos hospitales.

Meléndez explica que es cierto que, algunas veces, se puede producir una atonía del útero —que no contraiga bien— y que ésta derive en hemorragia, pero existe un protocolo de maniobras manuales que se aplican para actuar en este caso. El obstetra gerundense asegura además que, aunque las bases de datos concluyan a favor del manejo activo, «no está nada claro que sea mejor aplicarlo de forma rutinaria». Tiene lógica: «Si estamos defendiendo como más adecuado un modelo de baja intervención en la asistencia al parto, no tiene sentido inyectar en vena una sustancia de forma profiláctica para que se desprenda mejor la placenta».

Las hormonas que se producen de forma natural en el momento del nacimiento ya desencadenan el proceso de descontracción del útero y expulsión de la placenta por sí solas. Entonces, ¿por qué todavía hay tantos centros sanitarios donde se practica el manejo activo del alumbramiento? «Son costumbres, hábitos de los profesionales que cuesta cambiar, pero no está demostrado que sea necesario aplicar este manejo de forma preventiva y sistemática en todos los casos», indica Meléndez.

¿Por qué la OMS sigue indicando su viabilidad en los manuales? De nuevo, aparece el sentido común: las condiciones en que se asisten los partos en los países del Tercer Mundo son muy diferentes. De hecho, la mayoría de los casos de hemorragia posparto se producen en estos países. En España, cuando ocurre un sangrado anormal, los fármacos están a mano para pararlo, pero eso no justifica que se deba administrarlos de forma profiláctica en todos los partos.

4

Aliviar el dolor. De menos a más

Glosario

Inyecciones de agua destilada. Son otro método semifarmacológico, que consiste en la infiltración de inyecciones intradérmicas de agua estéril en cuatro lugares de la zona más baja de la espalda (el llamado rombo de Michaelis).

Óxido nitroso. La utilización de óxido nitroso (N_2O), mezclado al 50% con oxígeno, es una alternativa eficaz para el alivio del dolor durante el trabajo de parto, aunque no es tan potente como la analgesia epidural. Se administra por vía inhalatoria y su uso, que puede ser supervisado por la matrona, requiere instruir a la parturienta con las siguientes indicaciones: explicarle que el N_2O puede hacerla sentir levemente mareada y/o nauseosa; que la técnica de inhalación intermitente debe iniciarse inmediatamente al momento de ser percibida una contracción uterina, y que la mascarilla de inhalación debe ser retirada entre contracciones y respirar normalmente. En países como Canadá, Inglaterra, Finlandia, Suecia y Australia se utiliza en el 40-60% de los nacimientos. Las mujeres que reciben óxido nitroso deben ser controladas con oximetría de pulso y pueden requerir un anestésico local en el caso de que se deba realizar una episiotomía. Los estudios realizados hasta el momento, aunque presentan algunas limitaciones metodológicas, indican que presenta pocos efectos secundarios y, por lo tanto, se trata de una técnica segura para parturienta y feto.

Qué es la analgesia epidural. Es una técnica de bloqueo nervioso central que consiste en la inyección de un anestésico local cerca de los nervios que transmiten el dolor y es ampliamente utilizada como forma de alivio del dolor en el trabajo de parto. El *Diccionario de la Real Academia Española* distingue entre analgesia, que significa «falta o supresión de toda sensación dolorosa, sin pérdida de los restantes modos de la sensibilidad», y anestesia, que es definida como la «falta o privación general o parcial de la sensibilidad, ya por efecto de un padecimiento, ya artificialmente producida». La anestesia epidural es una técnica que se usa para eliminar el dolor crónico, pero que, en el caso de su administración durante el parto, debería ser denominada analgesia, porque, a través de una dosificación idónea, con menor concentración y volumen del fármaco, debería conseguirse un efecto analgésico, que consistiría en aliviar el dolor sin producir parálisis muscular asociada.

TENS. *Transcutaneous Electrical Nerve Stimulation*, o Estimulación Nerviosa Eléctrica Transcutánea, es un dispositivo con electrodos que, al aplicarse durante la dilatación sobre los puntos más dolorosos de la espalda, consigue disminuir el dolor de una forma parecida a una sesión de fisioterapia.

De menos a más

«Parirás con dolor», vaticina la cita bíblica. Casi todas las mujeres experimentan dolor durante el trabajo de parto. Sin embargo, la mayoría de las parturientas que han tenido un parto poco intervenido o fisiológico recuerdan ese dolor de una forma difuminada, rítmica a veces, incluso soportable. La información durante su embarazo, el acompañamiento continuo por parte de su pareja y una matrona durante el parto, la libertad de movimientos, la inmersión en agua caliente, el respeto a su intimidad y a la capacidad de su propio cuerpo de liberar sustancias endógenas que actúan como opiáceos, son elementos comunes, presentes en todas las narraciones. «De acuerdo con experiencias clínicas, un parto anormal, prolongado o complicado por una distocia, inducido o acelerado por oxitócicos, o resuelto mediante un parto instrumentado, parece ser más doloroso que un parto natural. De todas formas, incluso un parto completamente normal también resulta doloroso», admite la *Guía práctica de cuidados en el parto normal* de la OMS.

Pero ¿qué es y cómo es el dolor de parto? ¿Se parece a un dolor de muelas? Para empezar, discurre como un sufrimiento discontinuo —porque viene y va con cada contracción— y tiene una función específica: liberar las hormonas que facilitan el descenso del feto y su posterior acogida. Hasta aquí, todo el mundo está más o menos de acuerdo. Pero, hoy en día, teniendo en cuenta que existe una analgesia suficientemente efectiva como la epidural, que libera de este dolor a la parturienta, ¿por qué razón debería una mujer exponerse a semejante padecer? Aquí sí se desencadena el debate. Hasta hace pocos años, la epidural era vista por profesionales, gestores, políticos y mujeres como un avance incuestionable en la asistencia al parto. Y lo sigue siendo. Pero, como explicarán con más detalle en este capítulo algunos de los profesionales entrevistados, la analgesia epidural se debe indicar bien, porque se trata de una técnica no exenta de riesgos.

Sus efectos secundarios, descritos en la literatura científica, parecen ser poco frecuentes —menos del 2% de cefaleas pospunción, hipotensión, edemas de aparición muy poco frecuente, entre otros—, pero cuando a una parturienta se la ingresa con un centímetro de dilatación y enseguida recibe la analgesia epidural, sin poder acceder previamente y de forma escalonada a otros tratamientos complementarios del dolor, como la libertad de movimientos o la inmersión en agua caliente, entre otros, el período de dilatación puede prolongarse y tiene más posibilidades de recibir oxitocina sintética por vía intravenosa para acelerar las contracciones. Esta hormona artificial inhibe la acción de todo el abanico de sustancias endógenas que se segregan de forma natural, interfiriendo en el proceso y volviéndolo más doloroso también porque intensifica el ritmo de las contracciones. Según han demostrado varios estudios, la analgesia epidural también puede incidir directamente en el aumento del número de partos instrumentados, especialmente cuando se administra demasiado pronto o a una dosis demasiado alta, que puede producir parálisis muscular asociada y suprimir el reflejo del pujo durante la fase de expulsivo. Actualmente, sin embargo, los estudios sobre su dosificación adecuada están permitiendo que su administración se pueda ajustar hasta tal punto que garantice una sensibilidad suficiente para permitir la deambulación o el reflejo de pujo en el período expulsivo.

Otras investigaciones alertan sobre un incremento en el número de cesáreas, cuando se usó la epidural, en particular cuando se había administrado antes de que se haya evidenciado el inicio del trabajo de parto, una circunstancia que es difícil que se produzca antes de alcanzar los tres o cuatro centímetros de dilatación. De ahí que se pueda concluir que los efectos secundarios de la epidural son poco frecuentes si se miden por el número de trastornos que ocasiona, pero el número de complicaciones sobre el proceso del parto que aparecen cuando se recurre a esta analgesia como única arma contra el dolor y no se indica, ni se administra de forma adecuada —es decir, con la dosis más baja posible—, no es nada despreciable.

En los hospitales considerados como centro de referencia sobre buenas prácticas por la Estrategia de Atención al Parto Normal del Ministerio de Sanidad y Política Social, en España, la analgesia epidural sólo se administra cuando está indicada, es decir, cuando el abanico de tratamientos complementarios del dolor ya se ha ofrecido previamente y la parturienta sigue reclamándola, porque el parto se estanca, avanza muy lentamente o los diferentes métodos ofrecidos no surgen el efecto deseado. En estos casos, esta analgesia se convierte, entonces, en el método de alivio del dolor más efectivo y permite que la parturienta descanse, recupere fuerzas y pueda llegar así en mejores condiciones al momento del expulsivo.

A lo largo de este capítulo vamos a explicar por qué motivos el derecho de cualquier mujer de parto a esta analgesia y su mismo derecho a ser atendida según los últimos avances de la investigación científica no deberían colisionar nunca. La solución parece más sencilla y fácil de entender de lo que se podría argumentar en un principio: los expertos señalan que el manejo del dolor durante el parto debería seguir siempre una pauta de menos a más, como criterio de intervención. La mujer de parto tiene derecho a pedir la administración de esta analgesia, pero también debe ser informada de la existencia de métodos complementarios de alivio del dolor, como la TENS, la inhalación de N_2O al 50% o la inmersión en agua caliente, así como de los posibles beneficios, riesgos y efectos colaterales de la epidural. La mujer de parto debe saber que la libertad de movimientos, la auscultación intermitente del latido fetal, el uso de agua caliente para aliviar las contracciones, el apoyo emocional, el respeto a la intimidad y otros métodos no farmacológicos son de gran ayuda en un parto normal. Empecemos por explicar el tratamiento de este dolor tal y como indica la evidencia científica, es decir, de menos a más.

4.1. Apoyo emocional, acompañamiento profesional

Una de las tareas más importantes de la matrona es ayudar a la parturienta a hacer frente al dolor. En su Iniciativa Parto Normal, la FAME asegura que «el alivio del dolor durante el parto contribuye a aumentar el bienestar físico y emocional de la gestante y debe ocupar un lugar prioritario en los cuidados de la matrona». Una revisión de la literatura científica de la base de datos Cochrane sobre los modelos de atención al parto llevados a cabo por matronas deja claro que, en los partos normales de bajo riesgo, asistidos por estas profesionales —sobre todo si las parturientas ya la conocen previamente y han podido tener un seguimiento del embarazo— se da una reducción del número de episiotomías, analgesias epidurales y partos instrumentados. No se observa, sin embargo, un cambio en la ratio de cesáreas. En países como Inglaterra, Holanda, Finlandia o Suecia y en algunos centros sanitarios públicos como los hospitales de Úbeda, Huércal-Overa en Andalucía, o el de Salnés en Galicia, o los hospitales Clínic y Sant Pau en Barcelona, son las matronas las encargadas de asistir los partos normales. El obstetra interviene en caso de complicaciones o de mujeres con patologías previas, es decir, en partos de alto riesgo.

TESTIMONIOS DE MUJERES Y PROFESIONALES

Sara Sánchez André,
madre de Sergio y David (Pontevedra)

PARTO 1: HOSPITAL DE REFERENCIA

- Auscultación del latido fetal: monitorización cardíaca continua.
- Posición durante la dilatación: deambulación libre.
- Contacto madre-recién nacido: relativamente precoz, después de coser la episiotomía.

PARTO 2: FISIOLÓGICO EN HOSPITAL. BUENAS PRÁCTICAS

- Auscultación del latido fetal: intermitente.
- Posición durante la dilatación: deambulación libre.
- Contacto madre-recién nacido: inmediato.

Pintar una barriga

Sara Sánchez André parece ser una madre feliz. Psicóloga de formación, trabaja como orientadora laboral, pero su sueño es, un día, poder utilizar su bagaje académico para atender a las familias con problemas por duelos o partos traumáticos. Es miembro de una asociación gallega llamada Latexo, que significa «latido», y da información y soporte durante la crianza. En su sede, durante una de las últimas sesiones de los cursos de preparación al parto, pocos días antes de dar a luz, los hijos mayores de las parturientas pintan la barriga que contiene al hermanito a punto de nacer.

Sara Sánchez André se deja llevar por la emoción y te transporta con ella, cuando narra ese momento que fue tan especial para ella. Construye con sumo cuidado el relato de sus dos partos: el primero, en el que dio a luz a Sergio, contiene elementos de lucha, protesta y mucha tristeza. El segundo, aquel en el que nació David, borra cualquier rencor y habla de valor, osadía, seguridad en sí misma, y tanto amor y tanta generosidad como la que dibujó su primer hijo en esa panza gordísima.

Sara Sánchez André dio a luz por primera vez en el hospital público de referencia que le tocaba por zona, cerca de Moaña, en la provincia de Pontevedra. Esta psicóloga de voz afable asegura que nunca se planteó que pudieran surgir problemas durante el parto: «Tan sólo tenía en la cabeza la obsesión de que no quería que me separaran de mi hijo cuando naciera, una posibilidad que surge a menudo en los grandes hospitales, por problemas de espacio en la planta de maternidad». Llevaba una semana con contracciones, expulsando tapón mucoso, cuando acudió al centro sanitario porque tenía hora para que le realizaran el test basal para valorar el estado del feto y la presencia de contracciones. La ginecóloga que la atendió le comentó que, a pesar de que tenía el cuello ya «blandito», podía volver a casa para esperar que las contracciones fueran más regulares. Pero, «de repente», cambió de idea y la hizo volver a desvestirse para practicarle una amnioscopia y comprobar así la calidad del líquido amniótico. Tras la prueba, le aseguró que el líquido estaba un poco sucio y que, por lo tanto, era mejor que ingresara. Al cabo de una media hora, más o menos, le abrieron una vía y le dijeron que le iban a provocar el parto con oxitocina sintética. En diez minutos, sus contracciones se volvieron «insoportablemente dolorosas». Sara insiste que la chica que le rompió la bolsa —«que no sé si era una enfermera o una matrona, porque no se presentó»— le aseguró que el líquido no estaba sucio, sino todo lo contrario, «era precioso».

A partir de ese momento, con la oxitocina goteando y la bolsa rota, Sara entró en una «espiral de dolor insufrible, de la que tengo un recuerdo de oscuridad total». Tenía mucha sed, pero no la dejaban beber y, llegada a cierto punto, pidió la analgesia epidural. El matrón que acudió a contestar esa petición le dijo que ya no daba tiempo a ponérsela, porque en menos de una hora y media habría dado a luz, y le ofreció como alternativa un calmante que le permitió descansar entre contracciones. Sara tuvo que aguantar el dolor, tumbada y monitorizada de forma continua debido a la inducción. Cuando alguno de los diversos profesionales que entraron y salieron de la sala consideró que ya estaba preparada para el expulsivo, la trasladaron al paritorio, donde le practicaron una episiotomía «enorme, que me llegaba casi hasta el ano y que tardaron casi una hora en coser». Sara explica que la sutura le dolió «horrores», pero ya tenía a su lado, en una cunita, bajo una lámpara de infrarrojos, a su bebé y podía consolarse dándole la mano, ofreciéndole la mirada.

«Durante casi un mes, tuve que sentarme sobre un flotador, no podía estar reclinada con el niño en brazos, ni comiendo, de tanto que me dolía la episiotomía. Luego, pasaron meses hasta que pude tener relaciones sexuales con penetración», recuerda esta gallega. Antes de quedar embarazada de David, su segundo hijo, Sara tuvo dos abortos, uno de los cuales fue muy traumático debido a la forma en la que la atendieron en el mismo hospital donde había dado a luz —después de aplicarle prostaglandinas, sin éxito, le extirparon la bolsa con el embrión, sin siquiera informarle—. Fue la gota que colmó el vaso: «Los nacimientos, tanto de bebés vivos como de bebés muertos, deben ser de otra manera».

Con toda esta carga emocional sobre sus espaldas, Sara empezó a acudir a la asociación Latexo, donde le hablaron de un hospital público, el de Salnés, situado a cuarenta y cinco minutos de su casa, en el que se asistían los partos de forma poco intervenida o fisiológica. Envió una carta con la petición de asistencia y la admitieron enseguida. Explica Sara que, a la semana 30 de gestación, la citaron para una sesión informativa en la que las matronas les explicaron, a ella y a su marido, todas las opciones que podía recoger su Plan de Parto y les pasaron unos vídeos de partos poco intervenidos «tan maravillosos, que yo no podía parar de llorar pensando que lo que veía podía hacerse realidad». Cuando superó la semana 36, tuvieron otra cita para hablar con una matrona de sus expectativas y posibilidades, sin límite de tiempo.

Llegó finalmente el día del parto y Sara empezó a sentirse muy tranquila, informada, consciente y acompañada. Incluso su hermana, que vive lejos de la zona, acudió para estar con Sergio durante el parto. Pocas horas después, Sara rompió aguas. Era de noche. Se sentía en paz, contenta consigo misma, y siguió durmiendo. Cuando se despertó, llamó al hospital para anular la cita que tenía para el test basal ese mismo día, pero no quiso emprender el viaje todavía. Deseaba estar en casa, realizando sus ejercicios para ablandar el periné y otras técnicas de visualización que había aprendido en los cursos de preparación al parto. A las diez de la mañana, llegó una matrona amiga suya y le comentó que el parto estaba avanzando a buen ritmo y que debería empezar a pensar en marchar al hospital. Poco más de una hora después, ya ingresaba en el Hospital do Salnés, acompañada por su marido y una doula, compañera de la asociación. «Fui una de las primeras mujeres en ir a parir acompañada de una doula a Salnés», me enfatiza, con orgullo.

Sara estaba «tranquila y contenta». Tenía la sensación de que todo iría bien. La llevaron a una de las dos salas de dilatación del centro, la que no tiene bañera. Cuando sus acompañantes ya empezaban a instalar el arsenal de mantas, cojines y velas aromáticas que llevaban para crear un ambiente íntimo y placentero, la matrona le dijo que igual tendría que subir a una habitación, porque «todavía estaba un poco verde». Sara se derrumbó durante unos minutos, pero enseguida sacó fuerzas para imponer sus sensaciones: estaba avanzando en su trabajo de parto y «nadie iba a arrebatarme también este parto». Al minuto, todos empezaron con sus respectivos cometidos. Dice que sentía que «cada persona estaba haciendo lo que yo quería que hiciese» sin manifestarlo con demasiadas palabras, porque con cada contracción «pasaba de un mundo interior a otro exterior» y a menudo sentía que ése no era su cuerpo. Le brillaban la cara y el pelo. Si se miraba al espejo, no se reconocía de tan guapa que se veía.

David vino al mundo envuelto en este ambiente y su madre asegura que pasó los primeros veinte días del posparto «envuelta en un aura de felicidad absoluta» y sin puntos de sutura. «Estoy muy orgullosa de mí misma pues sé que todo salió así de bien porque yo me empeñé en que fuera de esta forma. Como persona, he crecido mucho y he adquirido una gran seguridad en mí misma.»

Pocas horas después de nuestra larga conversación telefónica, Sara me envía un correo electrónico con dos reflexiones personales y maravillosas sobre el dolor y el acompañamiento durante el parto: «Hola, Marta, había dos cosas que quería reflejar en la entrevista y que, con la emoción del relato, creo que no reflejé. La primera es que hay una diferencia muy importante en la vivencia de las contracciones de un parto inducido, respecto a las de un parto natural. En el primer caso, la contracción-dolor-intensidad, llámesele como quiera, no tiene principio ni fin, es un continuo de crispación-tensión-dolor que no se puede controlar. En el segundo caso, yo sentía que la contracción empezaba suave, aumentaba en intensidad y, cuando parecía que mi cuerpo se iba a rajar a la mitad, cedía y yo sentía cómo mi bebé avanzaba. Entre contracción y contracción, había relax, descanso, en algunas ocasiones risas, besos y abrazos. La segunda cuestión tiene que ver con ser acompañada por dos personas importantes para mí en el parto. El ir con una doula, que además es amiga, permitió que mi marido estuviera centrado en el apoyo emocional y se desentendiera de la parte más técnica (cambios de postura...). Sani —la doula— sugería posiciones, movimientos, y Suso —mi marido— siempre tenía su brazo, su cuerpo, su mirada disponibles para mí. Hay varios momentos del parto en los que recuerdo una unión tan fuerte entre los cuatro (doula-papá-mamá-bebé) que era como si los límites del cuerpo se difuminaran, porque, si necesitaba apoyarme, sólo tenía que dejarme caer y allí había un brazo o un cuerpo que me acogía. Era como una danza conjunta, cuyo objetivo último era la contención hacia mí. Era como un solo cuerpo en movimiento, los cuatro éramos uno. Para conseguir esto, creo que tiene que haber mucha confianza entre las personas que participan. Sólo es posible si la doula ha acompañado el embarazo».

Antonio Muñoz,
comadrón del Hospital San Juan de la Cruz (Úbeda, Jaén)

Datos de 2007:

- Episiotomías en parto normal: 11,42%.
- Desgarros perineales grado III/IV con episiotomía: 0,27%.
- Desgarros perineales grado III/IV sin episiotomía: 0,41%.

La ternura también es cosa de hombres

En un estudio publicado en la revista *Scandinavian Journal of Caring Sciences*, los investigadores de la Universidad de Tampere (Finlandia) hallaron una correlación entre las experiencias de parto positivas narradas por la madre y algunas de las características y habilidades de las matronas, como empatía, ternura, ausencia de prisas y calma.

Antonio Muñoz es el vivo compendio de estas cualidades. Este profesional afable asegura que, de pequeño, nunca había pensado que podría convertirse en comadrón. Fue luego, durante la carrera de enfermería, cuando empezó a interesarse por esta especialidad que, pensó, le podría ofrecer más independencia que las otras.

Se mueve con tal naturalidad y respeto entre parturientas que las futuras madres olvidan esa cuestión de género, porque aprecian su pasión por conocer y respetar sin miedo la esfera emocional que esconde cada nacimiento. Parece tímido cuando le pregunto por su condición de varón. Responde que él no se lo cuestiona: «Simplemente, intento trabajar según lo que dicta el conocimiento científico en mi ámbito». En su unidad hay otros comadrones como él. No les importa que los llamen «matrona», pero sí les gustaría que cambiaran la definición del término. En el *Diccionario de la Real Academia Española*, sólo existe la acepción en femenino y es descrita como «mujer especialmente autorizada para asistir a las parturientas». Hace poco que se ha incluido el sinónimo comadrona en su versión masculina, «comadrón», pero Antonio insiste en que a él no le importa que le cite como matrona —el símil masculino todavía no está aceptado—, que es el término que viene del latín y tiene unas raíces etimológicas más suaves, con énfasis en el aspecto del acompañamiento a la mujer durante el parto. En el decreto del año 2009 que regula la especialidad de enfermería obstétrico-ginecológica, se utiliza el vocablo «matrona», con la siguiente aclaración terminológica: «Incluye a todas las personas, mujeres y hombres, que están en posesión de alguno de los títulos o diplomas de matrona que habilitan en nuestro país para el ejercicio de la profesión, utilizando el género femenino para referirse a estas profesionales».

El hospital donde trabaja Antonio es uno de los centros con una tasa más baja de cesáreas, partos instrumentados y episiotomías de España, y cualquiera que pasee por sus pasillos comprobará que semejante éxito no radica en la existencia de grandes salas de dilatación, ni de enormes ventanales, aparatos de música o bañeras, aunque, sin duda, estos elementos arquitectónicos les vendrían muy bien. En centros como Úbeda, en Jaén, o Huércal-Overa, en Almería, las mujeres no necesitan llegar con un Plan de Parto y Nacimiento bajo el brazo —cuenta Antonio, satisfecho—, porque ya les atienden según los protocolos de la OMS y están continuamente revisando la bibliogafía sobre el tema. «Es absurdo esperar a que las mujeres lo pidan, porque somos nosotros, los profesionales, los que tenemos que ofrecerlo», asegura el comadrón. «Si fuera un profesional de traumatología, desearía trabajar con las prótesis de última generación, ¿no?, pues aquí hacemos lo mismo, que es trabajar acorde a la última evidencia científica.»

Su política de parto «poco intervenido» consiste básicamente en consensuar cualquier intervención con la mujer y ofrecerle métodos complementarios para el manejo del dolor, como la ducha, la deambulación libre y la auscultación intermitente, así como grandes dosis de acompañamiento y soporte emocional. Los resultados se traducen en buenas cifras de morbimortalidad perinatal, pero sobre todo se recogen en el alto grado de satisfacción que refieren las mujeres, cuyos partos fueron asistidos en este centro. Y es que su equipo de matronas lo tiene claro: el parto es de la mujer y si, por ejemplo, sigue deseando la analgesia epidural, ellos seguirán intentando respetar el tempo del parto e intentarán no monitorizarla de forma continua, ni practicarle una amniotomía (romper la bolsa amniótica). La dejarán moverse y luego parir en la posición que más desee. «¿Se puede hacer?», pregunto sorprendida. La respuesta de este hombre tranquilo es rotunda: «Claro que se puede, pero hay que formarse para ello».

En este punto, volvemos atrás y Antonio cuenta el proceso personal y profesional por el que han pasado él y sus compañeros. Él mismo se formó en un hospital «sumamente intervencionista» de Tenerife, pero, cuando llegó al centro de Úbeda, su visión cambió, porque entró en contacto con un equipo de matronas combativo, impulsado por la fuerza y el carácter de la matrona Blanca Herrera, que empezó a comprobar que las recomendaciones de la OMS no casaban con los protocolos que utilizaban. Consiguieron convencer a los obstetras gracias a contabilizar, estudiar y, más tarde, publicar en revistas especializadas, los resultados que arrojaban los cambios instaurados. Si hacían menos episiotomías, controlaban que no se produjeran más desgarros; si ofrecían el contacto «piel con piel» a la madre, analizaban la temperatura del bebé y comprobaban que se mantenía o mejoraba. Y así, poco a poco, como un castillo de naipes. También han tenido que luchar contra algunos obstáculos: igual que en otros centros de Andalucía, la aplicación de la analgesia epidural ha venido considerándose un indicador de calidad hasta hace poco y ellos, por problemas de accesibilidad a la técnica, en un principio, y por un exceso de imaginación en la aplicación de los tratamientos complementarios del alivio del dolor, nunca han cumplido el 40% que la Consejería de Salud de la comunidad marcó hasta el año 2009, cuando se instauró el Proyecto de Humanización de la Atención Perinatal en Andalucía (PHAPA) y se abolió semejante requisito. Antonio explica —sin problemas— que, al principio, «la dirección nos culpabilizaba de ese bajo porcentaje de epidurales pensando que las matronas no las ofrecíamos a las mujeres, cuando lo que realmente ocurría era que las mujeres no la demandaban tanto, gracias al manejo fisiológico del parto. Sin embargo, fuimos muy presionadas para conseguir dicho objetivo, que se traducía en más recursos económicos para el hospital y sus profesionales». El equipo no desfalleció: siguen teniendo unas de las mejores tasas del país y reciben miles de visitas a su página web (http://www.matronasubeda.com), que organiza y coordina él mismo, gracias a muchas horas de dedicación.

Imma Sàrries,
fundadora de la asociación Mares Doules (http://www.maresdoules.cat) (Barcelona)

«No somos superwomen.*»*

Quizá no haya oído nunca antes la palabra «doula». Si busca el significado de este término en el *Diccionario de la Real Aca-*

demia, no lo encontrará, al menos de momento. La palabra proviene del griego antiguo y se podría traducir como «esclava». Se utilizaba para designar a aquella sirviente que, en tiempos antiguos, ayudaba a la mujer principal de la casa durante su proceso de parto. En los últimos años, un grupo de mujeres ha recuperado la figura de esta mujer, que normalmente ya ha sido madre, y cuya labor consiste en acompañar a otras mujeres durante el tránsito hacia la maternidad, con soporte físico y emocional, durante el parto y el puerperio.

Imma Sàrries es una doula del siglo XXI. Fue una de las fundadoras de la asociación de origen catalán, Mares Doules (http://www.maresdoules.cat), una de las más activas de España, y después de varios años acompañando a madres y padres, ahora está completando su formación en Inglaterra para devenir matrona. A esta barcelonesa, de largo recorrido y conversación pausada, le pregunto por qué ha resurgido esta figura, olvidada durante siglos. Me corrige: «Es cierto que la palabra "doula" tiene raíces en el griego antiguo y significa "esclava", pero se refiere a esa mujer que estaba especializada en la crianza. Durante siglos, las doulas no han existido, no han sido necesarias, porque esa mujer que ya ha pasado por la maternidad y, a pesar de no tener conocimiento académico sobre la asistencia sanitaria al parto, cuenta con un enorme bagaje en el acompañamiento, desde el embarazo hasta la crianza, se correspondía en la sociedad con la madre, la tía o la prima, todas aquellas mujeres que formaban parte de una red invisible de soporte en este momento de crisis que supone la maternidad. Sin embargo, desde hace poco más de una década, las madres, tías o primas de la generación de mujeres que dan a luz, o bien viven en otra ciudad, o bien trabajan, o bien no han dado el pecho, porque en su época se acostumbraba a dar el biberón. Por este motivo, muchas mujeres se encuentran hoy tremendamente solas en esta etapa tan esencial de su vida y en ese momento tan íntimo y delicado que es el parto. Además, las matronas están sobrecargadas de trabajo y, a menudo, les es casi imposible cubrir con su atención las necesidades emocionales de las mujeres durante este proceso. Si añadimos a la ausencia de esta red de apoyo esencial para la madre, la presión por cuestiones profesionales y de organización familiar que sufren muchas mujeres actualmente, no es de extrañar que aumenten el número de depresiones posparto o de trastornos del vínculo».

¿Qué hace una doula? «Cualquier cosa que suponga una ayuda para la madre en la organización doméstica durante el proceso hacia el parto, aparte de dar soporte emocional o información para conseguir una lactancia natural satisfactoria», explica Imma Sàrries. Ella misma acepta que empezó a hacer de doula sin ser muy consciente de ello. Y asegura también que le gustaría que no hiciera falta su presencia o su trabajo, porque renaciera esta red invisible de soporte familiar, o porque las matronas fueran muchas más y pudieran llegar a asumir también este papel, como parte de su actividad profesional. Pero la realidad actual llevó a un grupo de mujeres a plantear que se sentían solas y necesitaban apoyo, y así fue como se creó un primer germen de la primera asociación de doulas en España.

Las mujeres que desean ser doulas tienen que seguir un código de buena conducta establecido mundialmente que implica, por ejemplo, ayudar a los futuros padres y madres a buscar qué alternativa desean para el nacimiento de sus hijos, así como renunciar a dar consejos basados en su propia experiencia. En la asociación Mares Doules organizan una serie de cursos de formación que consisten en un fin de semana al mes de charlas con profesionales del campo de la matronería, la obstetricia y la pediatría, básicamente. El trabajo de la doula cuesta unos 400 euros e incluye una primera visita durante la semana 36 de gestación para hablar de la preparación física y psíquica del parto y su organización logística; el acompañamiento durante el parto —que implica estar de guardia desde la semana 36 hasta la 42— y una visita durante el posparto para dar información sobre lactancia y cuidados básicos del recién nacido.

Actualmente, son las mujeres que dan a luz en casa las que están más sensibilizadas sobre los beneficios del acompañamiento que puede brindar una doula. Pero en algunos hospitales empieza a ser habitual y aceptado que una parturienta acuda acompañada de su pareja y una doula. Imma aclara con énfasis que «la mujer que debe someterse a una cesárea, por los motivos que sean, también tiene derecho a tener a su lado a una doula, sin que se la cuestione por la opción que ha tomado».

Para concluir la conversación que mantenemos vía *skype*, le pregunto por qué cree que hoy en día es importante tener una doula al lado cuando se da a luz. «Primero, porque todo lo que ocurre durante el parto deviene de suma importancia para la salud mental, familiar y social de todos los implicados. Para la madre, porque las circunstancias en las que se produzca este acontecimiento pueden contribuir a aumentar su nivel de autoestima y seguridad en sí misma, o todo lo contrario. Para el recién nacido, porque cada vez se está evidenciando de forma más clara la importancia que tiene el proceso del nacimiento en su vida futura. Y para la mujer y la sociedad en general, porque no somos *superwomen*, y la maternidad de la fémina trabajadora es hoy mucho más dura que antes.»

En Inglaterra, en Alemania o en Holanda también existen las doulas. Su labor está cubierta por la Seguridad Social sólo en Holanda, pero en los otros dos países las matronas visitan a la mujer hasta el décimo día de posparto, y luego pueden pedir la asistencia de una enfermera en caso necesario. Además, insiste Imma, ambos países cuentan con bajas por maternidad mucho más largas que la nuestra. Dice esta doula catalana, madre de una hija, que en el país germano alargaron el permiso de ambos, madre y padre, al ver que les salía más a cuenta que invertir en guarderías. Lo hicieron no sólo por una cuestión económica, sino también de salud pública.

La *Guía práctica de cuidados en el parto normal* de la OMS se extiende largamente sobre este capítulo: «Informes y experimentos realizados al azar indican que un apoyo continuado y físico de la parturienta supone grandes beneficios, como partos más cortos, un uso menor de medicación y analgesia epidural, un menor número de niños con test de Apgar inferiores a siete y menos partos instrumentados».

Este informe describe a una doula como una mujer que tiene una formación básica acerca del parto y que está familiarizada con una gran variedad de métodos de atención hacia las personas. «Ofrece apoyo emocional mediante elogios, tranquilidad, medidas encaminadas a mejorar la comodidad de la mujer, contacto físico con masajes en la espalda de la mujer y, tomando sus manos, explicaciones acerca de lo que está aconteciendo en el parto y una constante presencia amistosa y amable. Aunque estas tareas también pueden ser realizadas por la matrona o enfermera, muy a menudo éstas necesitan llevar a cabo procedimientos, tanto médicos como técnicos, que pueden hacerles distraer de su atención a la madre. Sin embargo, todo el apoyo ofrecido por estas mujeres reduce significativamente la ansiedad y el sentimiento de haber tenido un parto complicado 24 horas después de haber dado a luz. A su vez, tiene efectos positivos en el número de madres que seguirán dando pecho tras seis semanas del parto.

»La mujer de parto debe estar acompañada por las personas con las cuales ella se encuentre cómoda: su marido, su mejor amiga o la doula, y la matrona. En general, serán personas a las que se ha conocido durante el embarazo. Las matronas profesionales deben estar familiarizadas con las tareas de apoyo y médicas y deben realizarlas con competencia y sensibilidad. Una de estas tareas consiste en ofrecer a la mujer toda la información que ella desee y necesite. La privacidad de la mujer en el lugar donde vaya a dar a luz debe ser respetada en todo momento. Una gestante necesita su propia habitación para dar a luz y el número de personas presentes debe estar limitado al mínimo necesario. Sin embargo, en la práctica cotidiana, las condiciones difieren considerablemente de la situación ideal descrita anteriormente. En los países desarrollados, las mujeres, a menudo, se sienten aisladas en las salas de dilatación de los grandes hospitales, rodeadas de equipos técnicos y sin apenas ningún tipo de apoyo emocional. En los países en desarrollo, algunos grandes hospitales están tan saturados con partos de bajo riesgo que el apoyo personal y la privacidad resultan prácticamente imposibles. Los partos domiciliarios en estos países son muchas veces atendidos por personas inexpertas. Bajo estas circunstancias, el apoyo a la mujer gestante es deficiente, e incluso inexistente, con un número considerable de gestantes dando a luz sin ningún tipo de atención».

Fuente: «Cuidados en el parto normal: una guía práctica». Grupo técnico de trabajo de la OMS. Departamento de Investigación y Salud Reproductiva, Ginebra, 1996.

Asimismo, se puede encontrar información sobre la labor de las doulas en http://www.doulas.es y http://www.maresdoules.cat

---

4.2. El poder de las hormonas, en condiciones de intimidad

Michel Odent,
obstetra francés, fundador del Centro de Investigación en Salud Primal de Londres (http://www.primalhealthresearch.com)

«La oxitocina es una hormona tímida.»

El obstetra y cirujano francés Michel Odent dirigió la unidad de Cirugía de la maternidad del hospital público de Pithiviers (Francia) entre 1962 y 1985, pero es conocido sobre todo por haber introducido por primera vez una piscina en una sala de partos. Creó el Centro de Investigación en Salud Primal de Londres para estudiar los efectos de las condiciones del nacimiento sobre la salud y, desde hace años, se dedica a compartir su conocimiento por el mundo en forma de charlas sobre sus múltiples libros. Visita España a menudo y conoce bien las circunstancias en las que dan a luz muchas mujeres europeas en los hospitales. Ha publicado numerosos artículos en revistas científicas especializadas y su amabilidad y capacidad de ilustrar sus argumentos con citas bibliográficas son de gran utilidad para cualquier comadrona, obstetra, mujer o, en este caso, periodista interesada.

Cuando le pregunto por la situación de la asistencia al parto en nuestro país, me asegura que en todos los lugares que visita le plantean cuestiones parecidas e introduce una anécdota más que ilustrativa: «Cuando me recogen en el aeropuerto para ir a dar una conferencia en una ciudad europea o latinoamericana, siempre pregunto por el porcentaje comparativo de comadronas y ginecólogos de la región. Inmediatamente, sin tener los números delante, sólo con una respuesta aproximada, empiezo a hacer el cálculo mental del índice de cesáreas que seguramente tiene esa zona. No acostumbro a equivocarme: a más comadronas y menos ginecólogos, menos cesáreas. Ejemplos hay muchos, pero algunos son definitivos: en Suecia, por ejemplo, tienen seis mil matronas por nueve millones de habitantes; es el mismo contingente de Estados Unidos, pero para 270 millones de habitantes. El resultado es que en este país nórdico la tasa de cesáreas se sitúa en el 11%, mientras que en el país americano supera el 30%».

¿Por qué considera tanto la labor de la comadrona un obstetra con tanta y tan reputada experiencia, como Michel Odent? La respuesta parece sencilla, pero necesita una argumentación científica clara: «La persona con la que la parturienta se puede sentir más segura, menos observada y juzgada, es su propia madre y la comadrona viene a emular este papel», argumenta Odent. En pleno siglo XXI, este profesional ha analizado a conciencia las necesidades fisiológicas de la mujer de parto para concluir que «la oscuridad, el silencio y la intimidad facilitan el proceso de parto». ¿Por qué? Porque la liberación de oxitocina, la hormona clave que regula las contracciones, relaja los músculos voluntarios y hace avanzar el parto, para luego favorecer también el vínculo y la lactancia —no en vano se la ha llamado «hormona del amor», pues también interviene en el acto sexual—, depende del entorno. Para entenderlo, Odent explica que los mamíferos no pueden segregar oxitocina, hormona del amor, y adrenalina, hormona del miedo y la urgencia, al mismo tiempo, porque se produce un antagonismo entre ambas hormonas, un proceso por el cual la liberación de una inhibe la producción de la otra. «Los mamíferos no humanos se comportan como si lo supieran y presentan estrategias para no sentirse observados, como, por ejemplo, buscar un rincón solitario para conseguir intimidad», analiza el obstetra. ¿Qué ha sucedido con los humanos? La socialización y medicalización del parto han ido sustituyendo un entorno silencioso e íntimo, protegido por una matrona, por un ambiente lleno de máquinas, con una alta presencia de profesionales que entran y salen. «El neocórtex, que es la parte de nuestro cerebro encargada del razonamiento y el lenguaje, debe estar en estado de máximo reposo durante el parto. De hecho, la naturaleza ha establecido que sea nuestra estructura cerebral más arcaica (la hipófisis y el hipotálamo) la que segregue el cóctel de hormonas necesario para facilitar el proceso del parto y, por este motivo, es tan necesario crear las condiciones para provocar que el neocórtex se mantenga en reposo y deje trabajar a esa liberación natural de hormonas.»

¿Qué estímulos deberían evitarse para facilitar este trabajo natural? Primero de todo, usar el lenguaje con extrema precaución y no demandar reflexiones que estimularían el neocórtex. «El parto necesita silencio», asegura Odent. Pone otro ejemplo: «Cuando una pareja está haciendo el amor, no acostumbra a hablar de qué van a preparar para comer ese día, justo antes de llegar al orgasmo». El segundo aspecto que debe tenerse en cuenta es la luz y la necesidad de intimidad, de no sentirse observada; igual que a la hora de dormir o de tener relaciones sexuales, la oscuridad y la intimidad inhiben el funcionamiento del neocórtex. Por último, hay que cuidar el acompañamiento para que la mujer se sienta segura y no sienta miedo. Este obstetra, que algunos etiquetan como «gurú» del parto natural, según él mismo dice «erróneamente», critica con soltura esta moda que inundó su apartamento de Londres de vídeos con partos naturales en casa o en el hospital, en los que una mujer podía parir a cuatro patas, pero la matrona no cesaba de hablar como si estuviera en una tertulia de café, o en los que se administran erróneamente cantidades de zumo o pasta para dar a la mujer una energía «totalmente innecesaria, e incluso, perjudicial». Para Odent, «la buena matrona es aquella que ha entendido bien el funcionamiento antagónico entre adrenalina y oxitocina y procura que la mujer se sienta segura, tranquila, en silencio, sin distracciones, sin frío y en condiciones de intimidad».

Michel Odent, que fue uno de los primeros obstetras en practicar cesáreas en el mundo occidental, se congratula de que los avances tecnológicos hayan hecho posible que esta intervención quirúrgica pueda durar hoy tan sólo veinte minutos y se practique con un alto grado de seguridad. Pero, de la misma forma que celebra este avance, conmina a los profesionales a no olvidar que toda una serie de otros avances científicos sugieren que es importante introducir nuevos criterios sobre cómo deberían nacer los bebés. De nuevo, existen varios ejemplos clave: en febrero del año 2009, la revista especializada *Journal of Clinical Allergology* publicaba una investigación cuyos resultados demostraban la importancia del paso por el canal de parto para la formación del sistema inmunológico del recién nacido. Cuando el parto es vaginal, los microbios que colonizan su flora intestinal son los de su madre y, por lo tanto, tienen los mismos anticuerpos con los que ya viene dotado. En esta investigación se demostró que aquellos niños a los que se administraba prebióticos, inmediatamente después de un parto por cesárea, tenían una tasa mucho más baja de alergia atópica con el paso de los años. En el parto vaginal no hace falta administrar este suplemento, porque la flora vaginal de la madre dota al hijo con un arma valiosa para reforzar su sistema inmunológico, adaptarse a la gravedad y regular su propia temperatura corporal.

El otro ejemplo tiene que ver con el número creciente de datos epidemiológicos que sugieren que la forma como se da a luz influye en la calidad y la duración de la lactancia. Tal y como se explicará en el capítulo 8, justo después del nacimiento, la segregación de oxitocina alcanza el pico más alto posible, incluso más alto que durante un orgasmo. Este nivel es necesario para alumbrar la placenta, para que se produzca la eyección de la leche materna y se pongan las bases del vínculo maternofilial, la esencia del amor.

En un foro lleno de matronas, apunto las explicaciones de Michel Odent. Es miembro de la British Medical Association y de la Royal Society of Medicine, tiene 80 años y se dedica a analizar, a través de una base de datos de investigaciones científicas, la relación entre cómo nacemos y nuestra salud en la edad adulta. Les dice a las matronas: «Tenemos que conseguir que las hormonas del amor vuelvan a ser útiles. Para ello, tenéis que entrenaros en la adquisición de un lenguaje bilingüe: transmitir vuestros conocimientos intuitivos y el último conocimiento científico». Muchas aplauden. Otras permanecen expectantes, perplejas, animadas para asumir de nuevo el reto que se les asigna como profesionales.

Resumir el discurso de Michel Odent es una tarea titánica. Sus libros son fáciles de leer y comprender. He aquí algunos de ellos:

- *El granjero y el obstetra*, Creavida, 2003.
- *La vida fetal, el nacimiento y el futuro de la humanidad*, Editorial Ob Stare, 2007.
- *El bebé es un mamífero*, Editorial Ob Stare, 2009.
- *La cesárea: ¿problema o solución?*, Editorial La Liebre de Marzo, 2009.
- *Las funciones de los orgasmos*, Editorial Ob Stare, 2009.

4.3. Tratamientos complementarios: de la libertad de movimientos a la bañera

Una vez garantizado el apoyo continuo por parte de matrona, acompañante y/o doula, la mujer de parto puede aliviar el dolor de las contracciones adoptando la postura que ella prefiera, es decir, moviéndose libremente, sentándose, tumbándose, andando, especialmente durante la fase de dilatación.

Otras parturientas sienten un gran confort después de tomar una ducha o un baño, o tras seguir técnicas de respiración, relajación y visualización para las que han sido previamente entrenadas durante el embarazo.

Una revisión de los estudios científicos existentes sobre el uso del agua caliente durante la dilatación asegura una reducción del uso de analgesia epidural y espinal durante la dilatación, sin efecto adverso alguno para el feto. La inmersión en una bañera de agua caliente —a una temperatura de 37 grados y durante no más de dos horas— no sólo produce una sensación de alivio del dolor, sino que también reduce la ansiedad, estimulando la producción de endorfinas, mejorando la perfusión uterina y acortando el período de dilatación.

También se puede indicar al acompañante —por lo general, el padre— dónde y cómo realizar masajes a la gestante, pero, normalmente, es la matrona la encargada de suministrarle toda una serie de métodos específicos no farmacológicos de alivio del dolor, que incluyen prácticas que activan los receptores sensoriales periféricos. Una de ellas es la TENS, unos electrodos que, al aplicarse durante la dilatación sobre los puntos más dolorosos, consiguen disminuir el dolor de una forma parecida a una sesión de fisioterapia. Otro método semifarmacológico es el de la infiltración de inyecciones intradérmicas de agua estéril en cuatro lugares de la zona más baja de la espalda (el llamado rombo de Michaelis). Todavía no existen suficientes investigaciones científicas que certifiquen la efectividad de estos métodos, ni los sometan a un proceso de revisión y crítica, pero, en general, los profesionales y las parturientas experimentan su eficacia en los partos normales.

María Dolores Martínez,
matrona, técnica responsable del Proyecto de Salud Perinatal y de la Estrategia de Atención al Parto Normal en el Servizo Galego de Saúde (SERGAS)

«Humanizar el parto no consiste en ser más amable.»

«Por favor, que nadie confunda el parto humanizado con continuar dando una asistencia altamente medicalizada, como se ha venido aplicando en los últimos años, pero con un "trato amable". El parto humanizado exige que los profesionales actuemos siguiendo el principio de mínima intervención y según una pauta que va de menos a más, respondiendo a las necesidades propias de cada parturienta y su bebé. Esta misma perspectiva debe tenerse en cuenta en el manejo del dolor durante el trabajo de parto y, por lo tanto, las actuaciones encaminadas a mitigar este dolor deben de estar basadas en el respeto a la fisiología y avaladas por la investigación científica.»

Así de contundentes y claras son las palabras de María Dolores Martínez, la primera matrona en trabajar en el Hospital Comarcal do Salnés, luego en Atención Primaria en Galicia, y en 2007, miembro del Grupo Coordinador del Plan de Atención Integral a la Salud de la Mujer del Servizo Galego de Saúde. Actualmente, esta matrona es la representante autonómica de Galicia en el Comité Institucional de la Estrategia de Atención al Parto Normal del Ministerio de Sanidad y Política Social.

Con la facilidad de quien está acostumbrado a dar charlas explicativas y conferencias, esta matrona gallega detalla con suma precisión cómo ayudar a la mujer a aliviar el dolor de parto. Pero, primero, insiste en puntualizar el significado de algunas palabras: «Para empezar, quisiera que habláramos siempre de tratamientos complementarios y no alternativos del dolor, porque parece que el dolor hubiera que eliminarlo del todo y, para ello, la única alternativa fuese la analgesia epidural. Es posible que la mujer de parto acabe pidiendo una analgesia epidural, pero ésta debe ser una elección entre otras opciones para manejar su dolor. Como profesionales que la acompañamos, debemos ofrecerle los medios a nuestro alcance, siempre en una gradación de menos a más intervención, y esto no es incompatible con acabar poniendo la epidural, como último recurso. Sin embargo, para actuar así, la mujer, con la ayuda del profesional, tiene que saber, conocer y valorar todas las opciones que existen para luego poder elegir lo que a ella mejor le va en ese momento. Las opciones no se pueden reducir a la epidural».

Queda claro. Pero todavía hay más: «Tendríamos que hablar del dolor de parto y la diferencia que existe entre éste y cualquier otro que indica enfermedad. El dolor de parto no implica patología. Las mujeres de parto, en su gran mayoría, son mujeres sanas y la vivencia del parto va a depender de muchos factores. Hay mujeres que apenas sienten dolor —incluso algunas describen vivencias comparables a orgasmos—, mientras que otras lo viven con mucho sufrimiento. El dolor de parto es ondulante, no es continuo, y está muy relacionado con el funcionamiento hormonal de la mujer, porque desencadena la liberación en cascada de hormonas que hacen que el parto vaya avanzando. Tal y como explica el obstetra y cirujano francés Michel Odent, la percepción del dolor se asocia a la actividad del neocórtex y a la liberación de hormonas del estrés que son antagónicas de la oxitocina, pero que estimulan la liberación de endorfinas, con todas las implicaciones comportamentales que se les atribuyen».

Una mujer embarazada acude al centro sanitario. «¿Cómo actuar?», le pregunto. María Dolores Martínez describe así las pautas que se deberían seguir: «Primero, hay que acogerla con respeto y empatía, ofrecerle un ambiente íntimo y de seguridad, favorecer que esté acompañada por quien ella desee y, en estas condiciones, ya se reduce de por sí la demanda de analgesia, tal y como se ha comprobado en numerosos estudios científicos. Segundo, debemos ayudarla a sentirse segura y relajada, con elementos que pueden ayudar, como música, luz tenue, aislamiento acústico, utilizando técnicas de relajación, respiración o visualización. En definitiva, cualquier cosa que inhiba las hormonas del estrés, es decir, la adrenalina y la noradrenalina, y facilite la liberación de oxitocina y endorfinas, que van a ayudarla a experimentar menos dolor o un dolor soportable. Tercero, evitar la monitorización continua, ofrecerle la monitorización discontinua o auscultación intermitente del latido fetal para que pueda moverse libremente e ir adoptando las posturas que prefiera, también invitándola a probar posturas verticales que favorecen el descenso del bebé. Durante la dilatación, cuando se quejan de dolor lumbar, en la zona de los riñones, se le puede infiltrar agua destilada en cuatro puntos del llamado rombo de Michaelis, una técnica que es útil en la primera fase de la dilatación. En esta misma fase se le puede aplicar también TENS, que colabora en reducir la manifestación dolorosa de la contracción en el momento del parto o en fase de preparto. En estas circunstancias, muchas mujeres se acoplan bien con las contracciones y las sobrellevan sin recurrir a analgesia farmacológica y llegan a la dilatación completa. Al llegar al expulsivo, el dolor acostumbra a aumentar. En ocasiones en las que el parto es inducido o largo, y la mujer se queja de que no puede resistir tanto dolor, y los recursos hasta ahora utilizados no son suficientes para que la mujer tenga una vivencia satisfactoria, o desea recurrir a un método farmacológico, tiene otras opciones más potentes, como son la inhalación del N_2O y la administración de analgesia epidural, en cuyo caso es importante usar la menor dosis eficaz que le permita seguir sintiendo sus piernas y caminar. Además, al final del expulsivo, es importante que la analgesia no anule la sensación del pujo. Si el parto progresa adecuadamente y la mujer lo "lleva bien", es mejor apoyarla y ayudarla a superar este período sin recurrir a la analgesia. Debemos favorecer la segregación de hormonas que, de forma natural, ayudan a sobrellevar el dolor, sobre todo las endorfinas, pero que, además, van a favorecer la liberación de otras hormonas que la protegerán de la hemorragia tras la expulsión de la placenta, ayudando a contraer el útero y evitando así que sangre. Estas mismas hormonas (oxitocina, prolactina, endorfinas...) producen efectos sobre el comportamiento maternal y favorecen la instauración del vínculo con la criatura recién nacida en este período "sensible", así como el inicio y mantenimiento de la lactancia».

Martínez mantiene que la evidencia científica indica que, con analgesia epidural, va a ser más probable que el parto se estanque o aparezca una bradicardia —alteración del latido fetal— que hace que los partos con epidural tengan un riesgo mayor de ser instrumentados o cesareados, con las consecuencias que de ello se derivan, tanto para la mujer como para el bebé. A pesar de todas estas evidencias, la matrona asegura que «la analgesia epidural se utiliza a menudo de forma indiscriminada, sin una indicación justificada, e incluso, a veces, se presiona a las mujeres de parto para que se la pongan "por si acaso". Muchos partos se complican y se vuelven mucho más dolorosos, debido a la inducción o aceleración de las contracciones con oxitocina, lo que denota una falta de respeto hacia la velocidad de progreso del parto y una prisa injustificada por terminar cuanto antes. Es habitual que, cuando se administra analgesia epidural, disminuyan las contracciones. Y, teniendo en cuenta que son las contracciones las que hacen avanzar el parto, es muy probable que haya que administrar entonces una perfusión de oxitocina sintética, la cual impedirá la liberación de la oxitocina endógena necesaria para que el parto avance a buen ritmo, y también para que el cerebro del feto se impregne de oxitocina natural, algo que investigaciones recientes han demostrado que tiene un efecto sobre el comportamiento de las personas a lo largo de toda su vida».

«En definitiva, no se trata de eliminar el dolor de parto; dejemos de tener una actitud paternalista y decidir qué es lo mejor para la mujer, y pasemos a una actitud de respeto devolviendo a las mujeres y a sus familias el protagonismo que les hemos arrebatado», concluye Martínez.

4.4. La analgesia epidural. Beneficios y efectos secundarios

Alfonso Diz Villar,
jefe de Anestesiología del Hospital do Salnés (Vilagarcía de Arousa, Pontevedra)

«La epidural no es ni buena ni mala, pero debe obedecer a una correcta indicación.»

El anestesista Alfonso Diz Villar dirige el departamento de Anestesiología del Hospital do Salnés desde principios del año 2001. Explica que, cuando empezó a trabajar en este centro sanitario comarcal de la ciudad de Vilagarcía de Arousa, se administraba la analgesia epidural a un 80% de las parturientas. En 2010, esta tasa estaba en el 55%.

«¿A qué se debe semejante disminución?», pregunto. «Hemos conseguido indicar bien esta analgesia que, en un 45% de los casos, no debería ser necesaria, porque el alivio del dolor se puede conseguir con otros tratamientos complementarios, como el acompañamiento, la deambulación libre u otras técnicas semifarmacológicas.»

Me pide explícitamente, y con insistencia, que no escriba «anestesia», sino «analgesia», y es él quien, con profusión de detalles, me aclara la diferencia que se explicita en el Glosario del inicio de este capítulo. Puedo imaginar a este profesional, paciente y escrupuloso en sus explicaciones, buscando la fórmula mágica: calculando el volumen y concentración del fármaco que permite disminuir el dolor con el menor grado de parálisis muscular asociada posible. Diz Villar subraya un aspecto de vital importancia, un logro que dice se está empezando a reproducir en otros centros, como el suyo, donde se aplica una asistencia al parto de baja intervención: «En nuestro hospital se individualizan las dosis y es la misma mujer la que, con nuestras explicaciones, puede ir regulando su administración a partir de tres dosis de mantenimiento preestablecidas, y que son supervisadas por el equipo de anestesistas. Pero es que además, ya de entrada, en nuestro hospital no se somete a las parturientas a la llamada cadena de intervenciones, mientras no sea estrictamente necesario». De nuevo, igual que María Dolores Martínez, Diz Villar insiste en que el manejo del dolor durante el parto debe respetar una gradación de menos a más y «ningún método debe sustituir al otro, de entrada».

La autorregulación de la dosis es, según Diz Villar, un gran logro, porque «te acerca a esa variabilidad interindividual que existe siempre en la percepción del dolor». La respuesta al dolor nunca es uniforme, aclara el anestesista, porque, «aparte de las diferencias físicas, también se aprecian diferencias entre respuestas desde el punto de vista psicoafectivo, ya que el dolor tiene un componente emocional muy importante». Por estos motivos, el anestesista considera vital el acompañamiento de la embarazada y la información que, en su centro, por ejemplo, le suministran en una visita específica con algún anestesista del equipo, entre la semana 32 y 34 de gestación, y en la que se le ofrece toda la información necesaria sobre beneficios, riesgos y efectos secundarios de su administración, así como la posibilidad de aclarar cualquier duda. «La epidural no es ni buena ni mala. Es, sin duda, el método más eficaz para el alivio del dolor durante el parto, pero, al tratarse de una técnica no exenta de riesgos, debe basarse en una buena indicación.»

Entre los efectos secundarios más descritos, se halla la cefalea pospunción, que puede aparecer entre el 0,5 y el 2% de los casos; la hipotensión, que se relaciona directamente con la presencia de una concentración y volumen de la disolución inadecuadas, y el hematoma, que es el más grave, pero infrecuente (1 caso por cada 200.000). Diz Villar me asegura que otros efectos secundarios descritos, como el aumento de partos instrumentados, por ejemplo, tienen sobre todo mucha relación con una mala indicación de la epidural, es decir, con ponerla demasiado pronto o a una dosis demasiado alta, que produce parálisis muscular asociada, y también con la cadena de intervenciones que se practica en cascada en muchos partos altamente intervenidos desde el inicio.

Habla de situaciones reales para que podamos entenderlo: «Si una mujer ingresa con una dilatación de dos centímetros y va avanzando a un ritmo de un centímetro cada cuatro horas o más, tiene muchas más posibilidades de demandar una epidural que otra mujer, de la sala de dilatación de al lado, que llega con un centímetro, pero en cuatro o cinco horas ya está a ocho». Parece lógico. Pero, entonces, ¿cuándo hay que poner la epidural? Algunos manuales indican que debería ponerse cuando la dilatación ya ha superado la barrera de los cinco centímetros, pero Diz Villar no está de acuerdo: «Nosotros la ponemos a cuatro, a cinco o incluso a ocho, según las circunstancias de cada caso; pero no es una cuestión de centímetros, sino de cerciorarse previamente de que el parto ya está en marcha y existe una progresión de la dilatación. Es muy difícil que se cumpla esta indicación cuando una mujer está todavía de un centímetro».

En España, muchísimas mujeres reciben la analgesia epidural nada más ingresar en el centro sanitario, aunque estén de tan sólo un centímetro. En lugar de explicarles bien que pueden volver a casa o pueden quedarse por los alrededores del hospital, se las ingresa y somete a la cascada de intervenciones —aceleración con oxitocina, rotura de bolsa, monitorización continua—. Entonces, la epidural es un recurso obligado para sostener un dolor insoportable. Imagínese tumbada, sin poder moverse, y con las contracciones artificialmente aceleradas.

África Caño,
ginecóloga, Hospital Clínico Universitario San Cecilio (Granada)

3.100 partos al año

Datos de 2007:
- 23% cesáreas
- 11% episiotomías
- 14% partos instrumentados
- 65% epidurales

Mirar a los ojos de las mujeres

«Los profesionales no somos capaces de cambiar protocolos archicaducados, pero, en cambio, enseguida nos lanzamos a probar nuevos fármacos.» Así pone África Caño palabras a una contradicción, la que explica por qué está costando tanto aplicar la última evidencia científica cuando se trata de atender partos. Pero esta ginecóloga malagueña esgrime muchas otras razones mientras paseamos por los pasillos de este centro de tercer nivel, donde trabaja desde hace años. Por ejemplo, cuando un centro empieza a apostar por aplicar los mandamientos de la OMS, necesita registros adecuados para medir los resultados. Hasta finales de 2009, la Consejería de Salud de la Junta de Andalucía, igual que la de muchas otras comunidades autónomas, sólo exigía el número de partos, la mortalidad, la tasa de cesáreas y el porcentaje de analgesias epidurales. Con el PHAPA, los requisitos cambiaron en Andalucía, pero la situación sigue igual en otras comunidades.

Cuenta la doctora Caño que, en el San Cecilio de Granada, empezaron a trabajar por un parto menos medicalizado en el año 2004. En un proceso parecido al acaecido en otros centros sanitarios, suplieron la falta de indicadores con mucho estudio y observación: se dejó de rasurar y poner enemas, cultivaron una política restrictiva de episiotomías y pusieron a los bebés sobre la piel de sus madres nada más nacer. Las matronas estaban muy receptivas, el equipo de obstetricia era joven, pero, sobre todo, Caño insiste en que lo que sostuvo el cambio fue mirar a los ojos de las mujeres y notar que se sentían mucho más satisfechas. «Ahora, todos los residentes saben que se tienen que presentar», explica esta ginecóloga de mirada firme pero amable. Estos futuros profesionales son una gran herramienta de cambio, insiste Caño, pero su presencia es, a veces, una dificultad añadida, porque hay que combinar «su mismo afán de aprender y, por lo tanto, de estar en todas partes» con el respeto a la intimidad de las mujeres de parto.

En el San Cecilio de Granada, entre marzo de 2009 y el

mismo mes de 2010, unas trescientas parturientas recibieron N_2O al 50% para aliviar el dolor durante el trabajo de parto. Más de la mitad (164) no requirieron analgesia epidural, tras recibir este gas inhalado que, según Caño, ofrece tasas de parto eutócico —es decir, normal— altas y tiene la ventaja de que puede ser administrado por las mismas matronas. Sin embargo, al ser una analgesia no tan potente como la epidural, el resto necesitó también de esta analgesia, de forma complementaria, en el parto activo. Caño insiste en que en Andalucía crece el número de mujeres que solicitan el N_2O como primera alternativa. Esta técnica, que tiene pocos efectos secundarios importantes, se utiliza de forma generalizada en otros países, como Inglaterra o Finlandia.

«A los clínicos, lo que nos cuesta más es aceptar que un parto tiene que ver con una esfera emocional que no todos queremos compartir. Sin embargo, hemos comprobado que, cuando se explica todo desde el principio, existen menos decepciones, engaños y reclamaciones. Aunque las mujeres no pregunten, hay que acercarlas al tema para que conozcan qué es un parto, qué van a sentir, cómo pueden participar, cuáles son los efectos secundarios de cualquier intervención, etc.»

«Los profesionales nos sentimos más cómodos y seguros, cuando estamos protegidos por protocolos», asume la obstetra, con cierta resignación y una pizca de desengaño. Y es que África Caño no se esconde, ni tiene miedo de demostrar su militancia al lado de las mujeres y por eso lanza un montón de preguntas al aire: «¿Por qué, desde las sociedades científicas, no se practica una mayor autocrítica y cuesta tanto promover el cambio de algunas rutinas?, ¿por qué no se publican los nombres de los centros con las tasas de episiotomías, cesáreas o partos instrumentados más altas?, ¿por qué no se explica mejor que la analgesia epidural ha sido un logro para la mujer, pero da expulsivos más largos y mayores tasas de partos instrumentados?».

Caño brinda algunas respuestas; explica que en 1995 un decreto ley estipuló que todas las mujeres tienen derecho a recibir analgesia epidural. Su administración pasó a convertirse, entonces, en un «marcador de calidad» y las gerencias de los centros apostaban por ella, porque, a mayor porcentaje de epidurales, mayor credibilidad para el centro y también más recursos económicos. Así se convirtió esta anestesia en un objetivo de gestión que no se traduce, según Caño y muchos otros profesionales, en mejores resultados en la clínica. De hecho, los estudios la relacionan con mayores tasas de fórceps y episiotomías. Entonces aparecen nuevos interrogantes: ¿por qué no se les explica bien a las futuras mamás esta parte de la historia?, ¿por qué no se dan otras alternativas a la gestión del dolor? «Está claro que todas las mujeres tienen derecho a un parto satisfactorio sin dolor, pero hay que explicarles bien todos sus pros y sus contras», resume la doctora.

África Caño prefiere huir de los tópicos que intentan reducir la atención al parto a etiquetas: «No habría que llamarlos ni partos naturales ni artificiales, sino normales, de bajo riesgo o fisiológicos». «No hagamos más difícil un proceso que es fisiológico, la mayoría de las veces, y tengámoslo todo preparado por si algo no va bien», se esfuerza por concluir, ante mis ansias de captarla en una frase. Luego, cuando me acompaña hacia la puerta, al final de la entrevista, me pregunta si me he fijado en que, en las paredes del servicio, se exhiben fotos y dibujos de la Iniciativa Parto Normal de la FAME o sobre lactancia, y no los típicos carteles publicitarios de Nestlé u otras multinacionales. «Intentamos dar un ambiente cálido, sin anuncios», me cuenta.

Joaquim Calaf,
director del servicio de Ginecología y Obstetricia del Hospital de Sant Pau (Barcelona)

1.646 partos el año 2009

Datos de 2009:

- 23,7% cesáreas
- 32% episiotomías
- 23,5% partos instrumentados
- 68% epidurales

Ventajas para la epidural

Algunos profesionales insisten en señalar que las condiciones socioculturales en España explican por qué ha aumentado tanto en pocos años la demanda de analgesia epidural. En algunos países nórdicos, la piden menos de la mitad de las mujeres de parto, mientras que aquí se han llegado a rebasar tasas del 90%. Muchos profesionales explican que, en nuestro país, sigue vigente una visión más paternalista de la medicina, pero no sólo por parte del médico, sino también desde la perspectiva del usuario de la salud, que prefiere relegar cualquier responsabilidad sobre el profesional. Si no se han aplicado antes los modelos de asistencia desde la perspectiva fisiológica no es sólo por la reticencia de algunos profesionales, sino también porque tenemos un nivel sociocultural diferente del de Suecia y existe una cierta aversión al riesgo y al dolor.

El caso de la analgesia epidural es tan sólo una parte del mosaico, pero es ilustrativo.

Joaquim Calaf, director del servicio de Ginecología y Obstetricia del Hospital de Sant Pau de Barcelona, matiza estos argumentos: «Un escenario ideal sería el que dejara la cuestión muy abierta, porque todos los partos son distintos desde el punto de vista del dolor, igual que lo es la sensibilidad individual en cada situación. No es razonable que la mujer se comprometa con una decisión respecto a la analgesia, antes de conocer la evolución de su parto y cómo la siente. Por lo tanto, siempre que no exista una indicación médica de intervención, debe poder decidir sobre la marcha y cambiar su actitud en cualquier momento». Además, Calaf añade que, «no porque una mujer opte por la analgesia epidural, le vamos a negar una asistencia lo más humana y lo menos medicalizada posible; la disyuntiva no está entre natural o medicalizado».

Calaf reclama que no se presione a la mujer señalándole «el parto natural como el único bueno», porque la epidural también tiene sus ventajas: «Permite a la mujer vivir y disfrutar del parto, pero lo esencial es que esté informada sobre las ventajas e inconvenientes de su elección». Por otra parte, este obstetra insiste que, actualmente, «se puede refinar la práctica de la analgesia peridural en el entorno obstétrico para que deje una sensibilidad suficiente para permitir la deambulación o el reflejo de pujo que permite que la mujer pueda colaborar y sentir sin padecer el período expulsivo».

El Hospital de Sant Pau es un centro público de tercer nivel que asiste un elevado número de partos de alto riesgo. Llevan años trabajando para respetar los deseos de las mujeres en el momento de parir y para conseguir que tengan un parto lo más normal posible. Los resultados, de nuevo, les avalan: en menos de diez años, el porcentaje de episiotomías disminuyó más de un 45% (del 99 en 1998 al 42% en 2006), y en 2009 se llevaron a cabo 23,5% de partos instrumentados, una cifra que debe leerse teniendo en cuenta que más de la mitad de las parturientas que asisten son de alto riesgo. Para Calaf, está claro que «no se trata tanto de dotar los hospitales con unidades específicas de atención a un parto natural, como de cambiar la actitud del equipo asistencial y de las mujeres atendidas».

«El profesional debe poder identificar aquellas acciones que sólo tienen valor si son percibidas positivamente por parte de la mujer, como un tipo determinado de analgesia o finalizar pronto el parto. La parturienta, a su vez, debe depositar su confianza en el equipo que la atiende y asumir que, si le aconseja una intervención determinada, es en beneficio de su salud y la de su futuro hijo, más allá de sus preferencias. Sin este contrato implícito de confianza mutua entre la mujer y el equipo profesional que la atiende, no es posible una atención al parto simultáneamente personalizada y segura», afirma.

La prestigiosa guía de práctica clínica inglesa *NICE*, en su capítulo «*Coping with pain*», cuya traducción sería «Hacer frente al dolor», estipula que «antes de elegir la analgesia epidural, debería informarse a la mujer de parto sobre las siguientes cuestiones:

1) que esta analgesia sólo tendría que estar a su alcance en las unidades de obstetricia de un centro sanitario.
2) que produce un alivio del dolor más eficaz que el de los opioides.
3) que está asociada con un período expulsivo más largo y un aumento del número de partos instrumentados.
4) que no está asociada con dolor de espalda a largo plazo.
5) que no está asociada con un período de dilatación más largo ni con un aumento de las posibilidades de tener una cesárea.
6) que requiere un nivel de monitorización del latido fetal más intenso.
7) que altas dosis del fármaco pueden causar problemas respiratorios en el bebé a corto plazo y producirle somnolencia.»

5

¿Dónde dar a luz? El entorno del parto

¿Dónde voy a dar a luz? En general, las mujeres que se plantean esta disyuntiva han tenido una primera experiencia de parto insatisfactoria en el entorno hospitalario. En España todavía son minoría. Como se ha leído en otros capítulos, algunas se deciden por el parto domiciliario en su segundo embarazo; otras deciden acudir a otro hospital alejado de su lugar de residencia donde el protocolo les garantice el respeto de sus decisiones sobre cómo dar a luz a sus hijos o donde ya se aplica un manejo fisiológico del parto. Al final, en su decisión, pesa menos la presencia de una infraestructura arquitectónica concreta que el modo de asistencia de los profesionales; pero algunas condiciones, como la regulación de la luz, el respeto a la intimidad y la adecuación de los paritorios a la libre movilidad de la gestante, pueden ser de gran ayuda para devolver al parto altos ingredientes de humanización, combinados con no menos dosis de seguridad.

Desde que se institucionalizó la atención al parto, antes de la Segunda Guerra Mundial, la gran mayoría de las mujeres que viven en los países occidentales ven nacer a sus hijos en el hospital. Sólo un pequeño porcentaje de las españolas se plantean la alternativa de parir en su domicilio o en una casa de nacimiento; sin embargo, ambas opciones son contempladas por la Seguridad Social no sólo en Holanda, cuyo caso es conocido porque un 30% de sus habitantes se deciden por esta opción, con el asesoramiento de la comadrona, sino también en países como Alemania o Inglaterra, que en los últimos años decidieron implantar esta alternativa en su SNS para los embarazos de bajo riesgo.

¿Por qué es relevante la ubicación y el entorno que rodea el parto? En 1996, la *Guía de atención al parto normal* de la OMS ya abordó este tema con un análisis exhaustivo de las investigaciones realizadas en los países desarrollados, para concluir finalmente que «se puede afirmar que una mujer debería dar a luz en el lugar en que ella se encuentre segura, y en el nivel de asistencia inferior capaz de asegurar un manejo correcto del parto (FIGO 1982). Para una mujer de bajo riesgo, esto puede ser en casa, en una maternidad pequeña o quizá en una maternidad de un gran hospital. Sin embargo, debe ser un sitio donde toda la atención y cuidados se centren en sus necesidades y su seguridad, tan cerca como sea posible de su casa y su cultura. Si el parto va a ser domiciliario, deben existir planes de antemano para remitir a la mujer a un hospital si esto fuese necesario, y la mujer debe tener conocimiento de ello».

Si rastreamos las razones que condujeron a las administraciones sanitarias de países como Inglaterra y Alemania a incluir el parto domiciliario o en casas de nacimiento —normalmente, construidas al lado de un hospital—, observamos que el cambio surgió de la insatisfacción de un grupo cada vez mayor de mujeres con una asistencia al parto altamente medicalizada, en un entorno hospitalario en el que se aliviaba el dolor con métodos farmacológicos exclusivamente, los profesionales entraban y salían del lugar sin respetar las mínimas condiciones de intimidad y tampoco se practicaba un apoyo emocional continuo de la gestante, que parecía controlada desde lejos por las máquinas. Desde entonces hasta hoy, los hospitales de estos países han realizado grandes esfuerzos para instalar habitaciones que recuerdan un ambiente hogareño, una circunstancia que se ha traducido en un incremento de la satisfacción de las mujeres, una reducción en la tasa de trauma perineal y un descenso en el deseo por su parte de buscar nuevas ubicaciones para dar a luz en futuros embarazos. En España, a principios del siglo XXI, se está empezando a reproducir este proceso que, para muchos, tiene un desenlace único, inevitable y positivo: los expertos y los manuales indican que para hallar un entorno idóneo para que una mujer dé a luz no basta con hacer más cálidas o atractivas las habitaciones o los paritorios. La premisa de partida debería ser acompañar una serie de cambios en las infraestructuras hospitalarias con un manejo fisiológico del parto por parte de los profesionales, que centre sus actuaciones en las necesidades de la gestante y su hijo. Sin embargo, existen toda una serie de actuaciones arquitectónicas que pueden favorecer la asistencia humanizada al parto. En este capítulo dejaremos que los expertos expliquen las principales actuaciones de cambio y las razones para llevarlas a cabo en las maternidades de los hospitales, pero también estudiaremos el estado de la cuestión y la seguridad que ofrecen modos alternativos de asistencia, como son el parto domiciliario y el parto en el agua.

5.1. En el hospital, como en casa

Luz tenue, insonorización, colores agradables, ausencia de aparatos quirúrgicos en el campo visual, una silla de partos, una bañera o una ducha, y una cama reclinable son algunos de los muchos elementos arquitectónicos que favorecen el parto fisiológico y permiten a la mujer seguir algunas de las recomendaciones que estipula la literatura científica. En algunos hospitales públicos, como el de Salt, en Girona, y en otros privados, como la Clínica Acuario, en Alicante, las salas de dilatación y las habitaciones invitan al confort de la gestante durante el proceso de parto. Cuidar estos elementos empieza a ser considerado como un aspecto importante para permitir que la mujer dé a luz en condiciones de respeto a su fisiología, tal y como se avala desde la evidencia científica.

«El concepto tradicional de espacio hospitalario ha cambiado, y los edificios o zonas de maternidad serán la parte de los centros hospitalarios que más cambios sufrirán en los próximos años, y no sólo por los cambios demográficos de la población: ha cambiado en su raíz, y está cambiando en su implantación y aplicación. Los países del centro y norte de Europa llevan ya muchos años aplicando otra lógica a la hora de entender las maternidades, y que se está imponiendo en España; consiste en cambiar el foco del usuario principal: ahora, el punto de mira ha girado, y enfoca a la madre y al bebé. Tras la afirmación de que un embarazo y un parto no son una enfermedad, se desarrolla una completa teoría de los espacios y las relaciones entre ellos, en todo lo que afecta a las maternidades. La arquitectura tiene el reto de modificar y acondicionar los espacios.» Son palabras de las arquitectas Marta Parra y Ángela Müller, quienes, junto a la ginecóloga Pilar de la Cueva, elaboraron en el año 2008 el informe *Arquitectura integral de maternidades*, como material de apoyo de la Estrategia de Atención al Parto Normal en el SNS. El documento contiene toda una serie de respuestas arquitectónicas aplicables a las necesidades de la atención al parto normal en las maternidades, que incluyen desde la ubicación de los paritorios y las salas de reanimación en el recinto hospitalario, hasta las condiciones de luz, insonorización, color o materiales de las salas de dilatación. Su trabajo puede consultarse en http://www.parramueller.es, pero su filosofía, que sigue el modelo de algunos ejemplos implantados con éxito en el resto de Europa, puede vislumbrarse a través del testimonio de sus historias de partos.

Un ejemplo:

El informe *Arquitectura integral de maternidades*, elaborado como material de apoyo a la Estrategia de Atención al Parto Normal en el SNS por Marta Parra, Ángela Müller y Pilar de la Cueva, recomienda tener en cuenta los siguientes elementos a la hora de diseñar o reformar una habitación de dilatación-parto-posparto:

- Buena iluminación natural. Unas buenas vistas desde la ventana pueden ayudar a relajar a la parturienta durante la dilatación.
- Materiales y colores agradables sin renunciar a la estricta normativa de un paritorio.
- Decoración buena, sencilla. Lugar acogedor.
- Insonorización. Buen aislamiento acústico entre habita-

ción-habitación y habitación-pasillo, para permitir que la mujer se sienta cómoda para emitir ruidos durante su parto. – Tranquilidad e intimidad.

- Iluminación artificial en dos circuitos: indirecta y graduable para que pueda ser regulada según los deseos de la parturienta, y luz artificial de trabajo, según los estándares de necesidades lumínicas de habitación de hospital, en caso de complicaciones. – Intimidad.
- Temperatura ambiente regulable, en función de las necesidades de la parturienta, ya que en cada fase del proceso adquiere y necesita una temperatura diferente. – Comodidad.
- Pequeño material y mobiliario: mecedora, pelota, cojines y cuerda para alivio del dolor pélvico.

Marta Parra,
arquitecta, presidenta de la asociación El Parto es Nuestro, madre de Diego, Rodrigo e Íñigo

---

PARTO 1: CESÁREA EN CLÍNICA PRIVADA DE MADRID

- Auscultación del latido fetal: monitorización cardíaca continua.
- Posición durante la dilatación: decúbito supino (tumbada).
- Contacto madre-recién nacido: al cabo de 4 horas.

PARTO 2: CESÁREA EN HOSPITAL DE REFERENCIA

- Auscultación del latido fetal: monitorización cardíaca continua.

- Posición durante la dilatación: decúbito supino (tumbada).
- Contacto: inmediato.

PARTO 3: CESÁREA EN HOSPITAL DE REFERENCIA
- Auscultación del latido fetal: monitorización cardíaca continua.
- Posición durante la dilatación: deambulación libre.
- Contacto: inmediato.

Comprender para cambiar

La presidenta de la asociación El Parto es Nuestro, Marta Parra, asegura que, tras haber pasado por tres cesáreas, «puede entender el miedo y las dudas de muchas gestantes ante el proceso de parto». Es comprensible: su primera cesárea vino tras una inducción del parto en la semana 41 de gestación. Estuvo tumbada y monitorizada de forma continua durante más de diez horas. El parto no progresaba y le practicaron una cesárea de la que dice que se recuperó muy bien. Asegura que el proceso no la defraudó porque tampoco esperaba más. Pero, cuando volvió a quedarse embarazada, casi dos años más tarde, sabía que no deseaba otra cesárea porque esta intervención quirúrgica sólo se puede repetir hasta tres veces, y ella no estaba segura de cuántos hijos desearía tener. Fue entonces cuando, en internet, encontró la lista Apoyo Cesáreas. La arquitecta explica que, leyendo las historias que otras madres y profesionales colgaban en ese foro, empezó a cuestionarse si la inducción había sido realmente necesaria en el primero de sus partos. Tanto su madre como su abuela habían tenido partos tardíos, la primera en la semana 42 de gestación, y la segunda, en la 43. Admite que se obsesionó. Lo leía todo, no sólo respecto al parto, sino también en torno a la lactancia materna y a la crianza, «aspectos absolutamente interrelacionados».

Llegada la semana 40 de embarazo, le programaron una segunda cesárea, porque le aseguraron que era la única opción: el bebé era muy grande y llevaba dos vueltas de cordón. «Lo acepté porque tenía miedo. Pero me sentía culpable, porque, a pesar de lo mucho que había leído y estudiado sobre el parto, no pude ver que las vueltas de cordón no eran un argumento suficiente», explica Marta.

Cuando llegó el tercer embarazo, ya se sentía «más perdonada consigo misma» y, a pesar de las reticencias de su pareja y su entorno familiar, preparó un parto domiciliario con una comadrona y, por si no salía bien, un parto hospitalario, con un ginecólogo.

Esta tercera vez sí experimentó las contracciones, pero el parto tampoco progresó y la trasladaron al hospital, donde siguió intentando el parto vaginal. Allí le rompieron la bolsa para que se desestacionase el parto y contó con el apoyo incondicional de su marido y el profesional, pero finalmente acabó en una tercera cesárea. Esta tercera intervención quirúrgica la vivió de un modo muy diferente: pidió a cada uno de los profesionales que la asistieron que se presentaran, los miró a los ojos y les demandó todo lo que creía que necesitaba. Al anestesista le suplicó que la ayudara a ver nacer a su hijo, y al pediatra, que le dejara tener al bebé enseguida sobre su regazo. Y esa experiencia, asegura, le hizo ver que, cuando se mira y se pide a los profesionales, éstos acostumbran a responder positivamente. Transformó sus vivencias en esas tres cesáreas en unas ganas enormes de ayudar a otras mujeres a aceptar todas las circunstancias que rodean cualquier parto. Se implicó en la asociación hasta tal punto que llegó a ser elegida presidenta en 2009.

Marta Parra tiene un estudio de arquitectura junto a su marido. También trabaja con Ángela Müller en el análisis de los aspectos que pueden mejorar las infraestructuras de las maternidades. Me asegura que muchos hospitales alegan que no pueden cumplir las recomendaciones de los manuales de la OMS o la Estrategia, porque carecen de una bañera o de otros elementos arquitectónicos necesarios. Sin embargo, ella asegura que, para comenzar a rediseñar la fisonomía de estos centros, es esencial empezar por transformar la actitud de los profesionales y también de las mujeres de parto.

Ángela Müller,
arquitecta, madre de Daniel, Lucas y Anna (Madrid)

PARTO 1: CESÁREA EN CLÍNICA PRIVADA

- Auscultación del latido fetal: monitorización cardíaca intermitente.
- Posición durante la dilatación: decúbito supino (tumbada).
- Contacto: primer contacto al cabo de 15 horas + 2 veces al día 30 minutos durante 10 días, a pesar de no estar en la incubadora.

PARTO 2: HOSPITAL PÚBLICO EN SALZBURGO

- Auscultación: intermitente.
- Posición durante la dilatación: deambulación libre.
- Contacto: inmediato.

PARTO 3: DOMICILIARIO

- Auscultación: no hubo, la matrona llegó cuando su hija ya había nacido.
- Posición durante la dilatación: deambulación libre.
- Contacto: inmediato.

Cuestión de actitud

Ángela Müller tiene sangre austríaca, pero vive feliz, atareada entre sus niños y su trabajo como arquitecta, al lado de El Retiro madrileño. Nació con una cardiopatía, de la que fue operada a los ocho meses, pero que nunca le ha dado problemas —de hecho, ha practicado el buceo en varias ocasiones—. A la hora de parir, sin embargo, la cardiopatía la marcó, porque sólo le permitieron ir a una cesárea programada. Ella sabía, porque se lo confirmó el cirujano que la había intervenido en su momento, que podía parir vía vaginal, aunque tenía que tener cuidado de no fatigarse demasiado y ponerse la epidural, en el caso de que pasaran más de 24 horas desde el inicio de las contracciones. Pero estos argumentos chocaron en vano con los profesionales que la atendieron en la clínica privada de Madrid, donde tenía previsto parir, y donde ya había parido su cuñada. En este centro, al que acuden muchas famosas, el ginecólogo le dijo ya de entrada que ella no podría sobrevivir a un parto normal.

Convencida de que, cuando llegara el momento, lo lograría, Ángela siguió trabajando hasta que, a las 34 semanas, le empezó a subir la presión y, a las 36, ya dilatada de dos centímetros, la ingresaron por considerar que estaba de parto. No tenía contracciones, pero la tumbaron y le anunciaron que, si esa noche no había llegado a los seis centímetros, la llevarían a quirófano para practicarle una cesárea. Contra su voluntad.

A las 21 horas entró en quirófano, sola, sin su marido. No vio a su bebé hasta que, después de mucho insistir, el pediatra se lo enseñó un momento, a un metro de distancia, y se lo llevó. Después de unas tres horas en reanimación, estuvo toda la noche en la habitación dando vueltas y más vueltas sin saber dónde estaba su hijo. Al día siguiente por la tarde, su marido la bajó al nido en silla de ruedas y lo vio por primera vez. ¿Cuál fue su primera sorpresa? Su hijo estaba en una cunita normal, y no en la incubadora. Era un bebé de bajo peso (2.370 gramos) y, como el límite que se establece en esa clínica para estar con la madre está en 2.400 gramos, durante los siguientes diez días sólo pudo verlo dos veces al día durante media hora, y coincidiendo con el momento de la visita del neonatólogo. Su empeño en sacarse leche y estar con su hijo chocó con las enfermeras y los médicos del centro. «Tenía que dar gracias de que el bebé estuviera bien», le decían.

En esas horas tan intensas, «por fin», llegó la llamada desde Austria de su hermano, médico, que le dijo que podía pedir el alta voluntaria para su bebé. Lo hizo, sin el apoyo de su marido, que «creía a ciegas en los profesionales, como es lógico», me apunta Ángela. Daniel llegó a su casa en su décimo día de vida. Reclamaba el pecho de su madre a cada hora, completamente ansioso por comer. Según había apuntado la enfermera en el historial clínico, allí le dieron biberón cada tres horas en punto y, por la noche, lo dejaron con hambre durante seis horas «para que se acostumbrara». «Mi hijo salió bien, y yo también, pero esos diez días todavía hoy me siguen faltando», explica triste. Parece que se le parte el alma con sólo contarlo.

Esta arquitecta austríaca consiguió finalmente su historial clínico, gracias a la intervención del Defensor del Paciente, para llevárselo al ginecólogo que tenía en su país de origen. «Enseguida me aseguró que la cesárea había sido innecesaria», explica Ángela. El pronóstico se confirmó en su segundo parto. No quería ni oír hablar de clínicas privadas de Madrid, y durante su segundo embarazo acudió primero al hospital público de referencia que le tocaba con un Plan de Parto bajo el brazo. Se lo denegaron. Fue entonces cuando decidió que marcharía a su país para tener a su segundo hijo. «Allí todo fue fácil, desde el principio», insiste Ángela; el ginecólogo le propuso hacerle una inducción con prostaglandinas en un gel vaginal, una práctica mucho más suave que una inducción con oxitocina artificial por vía intravenosa, porque es mucho menos dolorosa. Les explicó bien el motivo: estaba sin líquido amniótico y no sabían la razón. Le dejó tiempo para hablarlo con su marido y pensarlo. Luego, cuando nació el bebé, la matrona se aseguró de que estuviera bien y salió de la sala para dejarlos a los tres solos.

«¿Qué tiene un hospital público austríaco que no tenga uno de Madrid?», pregunto. «No es una cuestión de espacio, mal me pese decirlo, porque soy arquitecta. Es el trato, la manera de preguntarte qué deseo tienes, y cuando hay un problema, explicártelo tal y como normalmente se hace con las personas adultas.»

Añade un detalle: en Austria hay una tasa de analgesia epidural del 9%, mientras que en España roza el 90%. «Puedes estar con tu ropa, beber y comer lo que quieras, no te ponen suero, ni te aceleran el parto por rutina, puedes estar acompañada siempre, también en los partos instrumentales y en la cesárea, independientemente de si es urgente o no. Además, en Austria, no existen potros.» Vuelve a su profesión, la arquitectura: «Muchas veces, la resistencia al cambio se intenta justificar con que «no hay dinero», o «no hay espacio» u otras excusas parecidas. Pero cuando el enfoque de la atención al parto cambia, y se da más importancia a las necesidades de la madre y del bebé, automáticamente esto se traduce en pequeños cambios introducidos por los mismos profesionales. No es tan complicado: en la sala de parto, por ejemplo, se puede poner un biombo por si la mujer busca más intimidad y así no se siente observada cada vez que alguien abre la puerta; en la unidad de Neonatología, se puede añadir una silla al lado de cada incubadora para la madre y/o el padre, y este elemento, junto a un régimen de puertas abiertas durante las 24 horas, puede cambiar por completo la vivencia de unos padres que tienen a su hijo ingresado».

Muy gráfico. Un año y medio más tarde, Ángela Müller me escribe con la siguiente petición: «Por si te queda una línea, me encantaría añadir a mi historia que mi tercera hija, Anna, nació en casa el 17 de diciembre de 2009 y que fueron navidades adelantadas. Que es la tercera, pero la primera que realmente parí. Y que es un auténtico lujo parir, ducharse y desayunar en tu propia casa como una reina, con tu marido y tus hijos».

5.2. En el agua, un placer

La utilización de una bañera o piscina reglamentaria de agua caliente a 37 grados parece ser un método eficaz para el alivio del dolor de las contracciones durante la dilatación. Algunas mujeres sienten una gran satisfacción y confort al sumergir parte de su cuerpo en agua caliente. Parir en el agua, sin embargo, tiene sus detractores, porque algunos profesionales insisten en que existe la posibilidad de inhalación de agua por parte del neonato o que pueda aumentar el índice de infecciones en madre y recién nacido. Las investigaciones científicas realizadas al respecto no avalan esta afirmación, al menos de momento. Una revisión realizada en la base de datos Cochrane concluye que «las pruebas indican que la inmersión en agua durante el período dilatante reduce el uso de analgesia epidural/espinal y no existen pruebas de que el trabajo de parto o el parto en el agua aumenten los efectos adversos para el feto/neonato o la mujer». Sin embargo, la revisión alerta también de que «hay información limitada para otras medidas de resultado relacionadas con el uso de agua durante el período dilatante y el período expulsivo, debido a la variabilidad de la intervención y el resultado».

¿Qué tiene el agua caliente que favorezca el trabajo de parto y el parto? Según la misma base de datos citada, las investigaciones indican que la flotabilidad del agua le permite a la parturienta moverse más fácilmente que en la tierra. «Este hecho puede facilitar las interacciones neurohormonales del trabajo de parto, aliviar el dolor y optimizar potencialmente el progreso del trabajo de parto. La inmersión en agua puede estar asociada con una mejor perfusión uterina, menos contracciones dolorosas, un trabajo de parto más corto con menos intervenciones. Además, la facilidad en la movilidad que la inmersión en agua ofrece a las gestantes puede optimizar la posición fetal al estimular la flexión», indica la revisión.

Aunque el uso de la inmersión en agua caliente para el trabajo de parto y el parto puede remontarse siglos en la historia de la humanidad, fue el obstetra Michel Odent quien, con un estudio publicado en la revista científica *The Lancet*, en el año 1983, subrayó e hizo populares sus beneficios. Diez años más tarde, el informe británico *Changing Childbirth*, aprobado por el Parlamento británico, dio tal reconocimiento a esta opción, normalmente dirigida por la matrona, que se llegó a recomendar que todas las maternidades de Gran Bretaña dispusieran de un local con piscina o bañera reglamentaria. Hoy en día, en ese país, el parto en el agua y, sobre todo, la inmersión en agua caliente durante la dilatación es una rutina instaurada en la asistencia al parto normal.

Blanca Herrera,
matrona en el Hospital de Baza (Granada)

Una labor que deja huella

Blanca Herrera va dejando rastro en todas las maternidades por donde pasa. Se formó en el Hospital Clínico Universitario San Cecilio de Granada, pero fue en el Hospital San Juan de la Cruz en Úbeda (Jaén) donde empezó a imprimir el sello de su incansable labor, una mezcla de compromiso con las mujeres y estudio de la evidencia científica en la asistencia al parto.

Cuentan sus compañeros de trabajo de entonces que, al comprobar que los cambios en las rutinas recomendadas por la OMS eran bien aceptados en su área, anotaba todas las reacciones positivas de los bebés y las madres —temperatura corporal, duración del llanto, éxito en la lactancia, etc.— para luego presentárselos al jefe de servicio. Con su trabajo y la complicidad del resto del equipo, el hospital de Úbeda se fue convirtiendo, poco a poco, en una referencia en el trato y la atención al parto.

A Blanca le preocupa la realidad que viven muchas mujeres. Asegura tener muchas razones: «Para empezar, son todavía muchos los profesionales que no estudian suficiente y siguen aconsejando una episiotomía por creerla mejor que un desgarro. Luego, sufres al ver a todas esas mujeres con dolor y problemas de incontinencia, tres meses después del parto y, lo que es peor, creyendo que se ha hecho por su bien». El ejemplo da cuenta de su principal caballo de batalla: la libertad de elección. «Cada mujer tiene que poder escoger, pero nunca podrá hacerlo si los profesionales no le proporcionamos la información adecuada, basada en lo que dice la evidencia científica.» En su argumentación aparece de nuevo el debate en torno a la epidural: «Este tipo de analgesia no es incompatible con una asistencia humanizada y respetuosa con los deseos y la fisiología de la mujer. Yo misma he asistido partos de muchas mujeres con epidural. Cuando está bien dosificada y se administra en el momento oportuno, las parturientas pueden deambular libremente o dar a luz en cuclillas, si así lo desean».

En este punto de la conversación, Blanca pone otro concepto clave sobre la mesa, el de riesgo. Para esta matrona andaluza, es imprescindible hacer entender a las mujeres que el principio de incertidumbre existe y que ellas también tienen que asumir su responsabilidad. «No puedes protestar si te has dejado hacer de todo», insiste Blanca. Pero ella sabe que, sin información, nunca se podrán derrumbar ni la indefensión de muchas mujeres, ni la actitud paternalista de muchos profesionales. Porque el nacimiento de un ser humano es un momento de alta vulnerabilidad, indica la comadrona, y «el 50% de nuestro trabajo y del de los obstetras es saber tratar a las mujeres y crear un ambiente acogedor. Sólo entonces se producirán la mitad de hipotermias en los recién nacidos, por poner otro ejemplo». Sin embargo, esta mujer menuda, de ojos verdes como faros, admite que, cuando ya se llevan muchos años practicando una medicina defensiva, cuesta mucho cambiar las rutinas. Ella misma ha suturado episiotomías innecesarias, en sus inicios, y asume las consecuencias de tales errores.

Por eso, para Blanca, el motor del cambio está en la visibilidad de los resultados. Lo ha experimentado en su trabajo, pero también en su vida personal. Me dice que ella primero se hizo matrona y después mamá, pero se emociona al narrar una a una las transformaciones vividas en sus tres partos. Su profesión ha ido evolucionando de la mano del nacimiento de sus hijos. Con la primera, tuvo una cesárea, porque su hija venía colocada en mentón posterior. «Por pesada», dice, tuvo enseguida a su bebé en brazos y le pudo dar el pecho. Desde ese día, asistió cada cesárea anterior como si fuera la suya propia. Al año y medio, quedó de nuevo embarazada y planeó un parto en casa. Estaba de guardia en el hospital de Úbeda, cuando empezaron las contracciones, y la asistió una matrona del centro. Fue un parto normal, después de una cesárea. Y ella asegura que fue clave haberse trabajado su responsabilidad personal sobre el parto. «Existe la impresión falsa de que las mujeres son buenas o malas paridoras de entrada, que eso ni se puede cambiar ni depende de ellas», asevera Blanca. Por eso, tras el nacimiento de Carmen, su segunda hija, se implicó a fondo en defender los derechos de las mujeres desde la asociación El Parto es Nuestro.

Recién reincorporada al trabajo, tuvo la oportunidad de asistir a una amiga suya en un parto en casa y descubrió «lo que se siente al dar a luz en esas condiciones de intimidad». A partir de ahí, decidió formar un grupo de matronas que pudieran acompañar partos en casa y combinó esta tarea con su empleo, en el Hospital de Baza, en la provincia de Granada. Se llaman Ocean Comadronas y llevan una bañera reglamentaria a domicilio para ayudar en la dilatación o parir en ella. «Es así como se hace en casi todos los hospitales de Inglaterra. En ese país, la epidural es el último recurso, ya que primero se le ofrece a la mujer este tipo de método alternativo para paliar el dolor», subraya Blanca.

«El agua no es el objetivo en sí mismo. Se puede parir en ella, pero, sobre todo, consigue aliviar el dolor de las contracciones», afirma. Ella lo vivió en su propia piel. Dio a luz a Adrián, su tercer hijo, en una piscina portátil en casa. «Fue un parto glorioso», concluye. Se emociona. Siente que así cierra su círculo. El suyo y el de todas las mujeres que han conseguido dar a luz, sea en casa o en el hospital, pero como ellas han elegido.

A una mujer con tanta experiencia acumulada, no se la puede dejar escapar sin preguntarle por sus deseos para el futuro de la asistencia al parto en nuestro país. «Desde luego, me gustaría que el parto domiciliario fuera contemplado como una opción cubierta por la Seguridad Social. Pero, ante todo, quisiera ver que cada mujer puede escoger cómo quiere parir, con la ayuda, la complicidad y la información de los profesionales. En algunos hospitales ya se respiran los resultados con una reducción de las tasas, pero, sobre todo, cada vez son más las mujeres que expresan su satisfacción con este tipo de atención al parto.»

Con parte del dinero que ganan asistiendo partos en casa (unos 1.200 euros por nacimiento), ella y sus compañeras de Ocean Comadronas (http://www.oceancomadronas.org/pages/ES/index.asp) hacen una especie de fondo común para financiarse viajes a congresos de todo el mundo, donde se revisa la última evidencia científica en este campo.

5.3. En casa. La seguridad a debate

El parto domiciliario es motivo de polémica entre profesionales, tanto en España como en otros países del mundo, como Australia o Estados Unidos, donde las sociedades de obstetras y ginecólogos están en contra de esta opción, al considerar, entre múltiples argumentos, que, a pesar de la existencia de investigaciones que arrojan resultados positivos al respecto, éstas presentan limitaciones y deficiencias metodológicas y, por lo tanto, se necesitan más estudios exhaustivos que aseveren la seguridad de este tipo de asistencia antes de defenderla como viable. En otros países, como Holanda e Inglaterra, tanto sus colegios de ginecólogos y obstetras, como de matronas, defienden la seguridad de esta opción en los embarazos de bajo riesgo.

En enero del año 2009, cuando se hicieron públicos los datos del informe europeo sobre salud perinatal *Euro-Peristat II*, elaborado por el Departamento de Salud Pública de la Comisión Europea, los datos sobre el índice de mortalidad de bebés recién nacidos en Holanda, del 10‰, el doble que en España, diferentes medios de comunicación, tanto holandeses como españoles, atribuyeron esa elevada tasa al sistema holandés de parto domiciliario y baja intervención médica. Una lectura a fondo del informe ya revela que esta diferencia se asociaba con un menor control prenatal del embarazo en Holanda, pero también con diferencias importantes entre los sistemas de registro de la mortalidad perinatal de los diferentes países estudiados. Este último aspecto tiene relevancia, porque, en algunos países, como Holanda, se imponen límites a este registro, porque los protocolos prevén que no se lleven a cabo maniobras de reanimación en los bebés que nacen con menos de 500 gramos o tienen menos de 22 semanas de gestación, mientras que en otros, como España, en cambio, los protocolos son más «activos» y no existen este tipo de límites de forma predeterminada u homogénea. El debate científico en torno a la idoneidad de un modelo u otro es enorme y necesitaría otro libro, porque todavía existen grandes dudas médicas y éticas sobre las secuelas y la supervivencia de estos grandes prematuros.

En abril de ese mismo año, un grupo de investigadores holandeses publicó un nuevo estudio de corte nacional, con una muestra de 529.688 mujeres con embarazos de bajo riesgo, que dieron a luz entre el 1 de enero de 2000 y el 31 de diciembre de 2006. En el estudio, que fue el más amplio elaborado hasta esa fecha, se analizó la tasa de mortalidad perinatal durante las 24 horas después del parto y durante la primera semana después del mismo. Los científicos no encontraron diferencias significativas entre las mujeres que habían dado a luz en casa y aquellas que habían planeado hacerlo en un hospital. Los bebés nacidos en un parto en casa planificado, asistido por matronas certificadas para ello, tenían las mismas posibilidades de necesitar ingreso en una unidad de cuidados intensivos neonatales (UCIN) que los nacidos en un parto en un hospital planificado. El perfil de las mujeres que dieron a luz en casa obedecía a mujeres jóvenes, mayores de 25 años, con un estatus socioeconómico entre medio y alto, que parían a su segundo o tercer hijo. El estudio, publicado en el *BJOG: An International Journal of Obstetrics and Gynaecology*, iba acompañado de un editorial en el que se concluía que «evaluar la seguridad de los partos en casa es difícil porque hay pocos estudios que consideren el lugar de nacimiento, y aun así, incluso después de excluir factores de riesgo obvios, es posible que las mujeres que eligen un parto en casa presenten muchas diferencias respecto a las mujeres que eligen partos en el hospital. No obstante, este amplio estudio de cohortes retrospectivo es tranquilizador en cuanto a la seguridad de los partos en casa planificados en embarazos de bajo riesgo».

Otro de los estudios que se cita a menudo es el publicado en el año 2005 en el *British Medical Journal*, por investigadores del Centro para el Control y la Prevención de Enfermedades de Canadá. Sobre una muestra de 5.418 mujeres de bajo riesgo que parieron en casa asistidas por comadronas certificadas, no halló diferencias significativas en los índices de morbimortalidad perinatal respecto a los de los hospitales.

Aun así, en julio del año 2010, un nuevo estudio llevado a

cabo desde el Maine Medical Center de Estados Unidos volvía a revolucionar el debate sobre la seguridad del parto en casa. Basado en un metaanálisis de otros estudios realizados en Europa y Estados Unidos, recogía datos sobre 350.000 partos domiciliarios y 200.000 hospitalarios. Los resultados avalaban los beneficios de dar a luz en casa para la madre por registrar menos cesáreas, infecciones, hemorragias posparto, episiotomías y por producir una mayor satisfacción, aunque también constataban el doble de muertes del neonato en los nacimientos en casa (un 0,2% contra un 0,09%). Según una publicación en la revista científica *American Journal of Obstetrics and Gynecology*, los problemas respiratorios y de reanimación del bebé fueron las causas de muerte más frecuentes registradas. Los investigadores sugirieron que, hasta el momento, seguramente se habían sobrevalorado positivamente los resultados de los partos domiciliarios porque, cuando surgen complicaciones en este entorno, la mujer es trasladada al centro sanitario y el resultado del parto, si es negativo, es registrado como si hubiese acaecido en el hospital. Esta investigación causó enorme controversia, sobre todo en Inglaterra, donde los colegios oficiales de profesionales de este ámbito avalan el parto domiciliario en mujeres de bajo riesgo, y en Estados Unidos, donde la demanda de este tipo de asistencia en casa ha crecido mucho en los últimos años.

¿Qué dice la OMS al respecto? En la *Guía práctica de cuidados en el parto normal* de la OMS de 1996, se insiste en que «la atención especializada para el parto debe ofrecerse preferentemente en o cerca del lugar donde vive la mujer, antes que trasladar a todas las mujeres a una gran unidad de obstetricia. Las grandes unidades que atienden 50 o 60 partos al día, necesitarían reestructurar sus servicios para poder atender las necesidades específicas de las mujeres. Los sanitarios tendrían que reorganizar sus programas de trabajo a fin de satisfacer las necesidades de las mujeres de una continua atención y apoyo. Esto también tiene implicaciones de coste y, por eso, llega a ser una cuestión política. Tanto los países en vías de desarrollo, como los desarrollados, necesitan ocuparse en resolver estas cuestiones según sus propios criterios». En el mismo capítulo, este organismo internacional explica que «para que un parto domiciliario sea atendido correctamente, sólo son necesarias unas mínimas preparaciones. La matrona ha de asegurarse de que haya agua limpia y que la habitación tenga una temperatura óptima. Se ha de lavar las manos concienzudamente. La ropa y toallas calientes han de estar preparadas para arropar al recién nacido y mantenerlo caliente. Debe existir a su vez un kit de parto, como recomienda la OMS, para crear un campo lo más limpio posible de cara al nacimiento y a los cuidados del cordón umbilical. Asimismo, debe contemplarse un medio de transporte en caso de que la mujer deba ser trasladada a un centro de referencia. En términos prácticos, esto conlleva la participación de la comunidad y el obtener los fondos necesarios para solicitar un transporte de emergencia en áreas en que esto es un problema».

En la última revisión de la base de datos Cochrane sobre si «¿Es seguro parir en casa?», se analizaba uno de los últimos estudios realizados al respecto por investigadores de la Columbia Británica, publicado en 2009 en el *Canadian Medical Association Journal (CMAJ)* y que concluía que «el parto en casa atendido por comadrona se asocia con tasas de mortalidad perinatal muy bajas. Tanto estas tasas como las de intervenciones obstétricas y resultados perinatales adversos en los nacimientos en casa, además de bajas, son similares a las de los nacimientos hospitalarios atendidos por comadronas u obstetras». En la versión en castellano de esta revisión de la Cochrane, Carlos Campillo Artero, del Servei de Salut de les Illes Balears, escribía, sin embargo, el siguiente comentario acerca de este estudio: «La seguridad del parto en casa es otro de los temas controvertidos en obstetricia por falta de pruebas científicas suficientes que demuestren su efectividad y seguridad. Debates similares abordan la efectividad de la hospitalización de embarazadas sin trabajo de parto con bolsa de aguas rota, la del reposo en la amenaza de parto prematuro o la de la inducción electiva del parto. Los colegios de obstetras y ginecólogos de Estados Unidos, Australia y Nueva Zelanda se oponen al parto en casa. El de Canadá no se pronuncia; insta a investigar más a fondo. Por el contrario, lo respaldan, en embarazos no complicados, los de comadronas del Reino Unido (también el de obstetras y ginecólogos), Australia, Nueva Zelanda y Canadá. Los estudios sobre la seguridad del parto en casa de embarazadas de bajo riesgo presentan diversas limitaciones metodológicas: ausencia de grupo de comparación, baja potencia estadística (las muertes perinatales son escasas), uso inadecuado de variables compuestas (*composite*), baja representatividad de las muestras, sesgos de selección, notificación voluntaria de datos, y dificultades para excluir partos en casa no programados. Apenas se han publicado ensayos clínicos, porque su realización es compleja por razones éticas, prejuicios médicos y la oposición de muchas embarazadas a someterse a la aleatorización. El estudio reseñado se suma a los que aportan datos congruentes con la seguridad del parto en casa en embarazadas de bajo riesgo. Sin embargo, en él no se puede descartar la autoselección de las embarazadas que decidieron parir en casa, ni se aclara qué factores de la atención domiciliaria del parto reducen el riesgo de intervenciones obstétricas (la autoselección puede ser un componente de la gestión del riesgo obstétrico). Sólo una de las dos comparaciones entre grupos se realizó con datos apareados y en ninguna se ajustaron las tasas de mortalidad ni los riesgos relativos estimados. Las comadronas participantes tenían un nivel de formación adecuado y acceso rápido a un hospital en caso de complicaciones, lo cual no ocurre en todo el mundo. Todo ello sólo sugiere que el parto en casa de embarazadas de bajo riesgo atendidas por comadronas cualificadas y con acceso rápido a un hospital es tan seguro como el hospitalario, pero hay que confirmarlo con estudios exentos de esas limitaciones, que, además, consideren su relación coste-efectividad, la postura de las aseguradoras, las necesidades de formación de comadronas, los prejuicios médicos y las barreras de acceso a hospitales. Las extrapolaciones lo exigen».

Ester Vidal,
madre de Pol, Jan, Sira y Clara (Barcelona)

PARTO 1: INTERVENIDO EN HOSPITAL PRIVADO

- Auscultación del latido fetal: monitorización cardíaca continua.
- Posición durante la dilatación: decúbito supino (tumbada).
- Contacto: primer contacto después de 24 horas en incubadora.

PARTO 2: EN CASA

- Auscultación: intermitente.
- Posición durante la dilatación: deambulación libre.
- Contacto: inmediato.

PARTO 3: EN CASA

- Auscultación: intermitente.
- Posición durante la dilatación: deambulación libre.
- Contacto: inmediato.

PARTO 4: EN CASA

- Auscultación: intermitente.
- Posición durante la dilatación: deambulación libre.
- Contacto: inmediato.

Asumir riesgos, vivir emociones

Desde pequeña, Ester Vidal había deseado construir una gran familia. Algunos vocablos como «proyecto», «opción» o «pensar» han sostenido la infinidad de conversaciones que hemos mantenido desde nuestra juventud. Ester nunca podría defender una opción o escogerla, sin haberla razonado detenidamente, sin haber desmenuzado todas sus ventajas e inconvenientes. Hizo la carrera de Administración y Gestión de Empresas (ESADE) para luego descubrir que lo suyo era asesorar cooperativas y organizaciones sociales. Tiene 40 años. Más de veinticinco años los ha pasado junto al padre de sus hijos.

Ester tuvo a su primer hijo, Pol, en un hospital privado de Barcelona donde intentó, a pesar de sentirse «muy poco acompañada», un parto normal que acabó siendo intervenido. Los hermanos de Pol, en cambio, vinieron al mundo en su casa del barrio de Gràcia de Barcelona, tras darse cuenta de que «tener un parto natural en un hospital tenía poco sentido, al menos en las circunstancias en las que se produjo el primero».

Conociéndola, la creo perfectamente cuando asegura que no decidió parir en casa como reacción o rechazo a la asistencia hospitalaria que vivió en su primer parto, sino como una alternativa estudiada, querida y asumida en todos sus riesgos que, más adelante, explicará por qué cree que fueron pocos.

Empecemos a dibujar sus relatos. Cuando Ester quedó embarazada de Pol, siguió con sumo interés, junto a su pareja, Víctor, los cursos de preparación al parto de la cooperativa Titània-Tascó de Barcelona, que era una de sus clientes como asesora de cooperativas. Con esas matronas de trazo amable y respeto amplio, descubrió que la fisiología la dotaba para parir de forma «natural», sin demasiadas intervenciones. Y quiso intentarlo. En su entorno familiar y de amistades, era la primera —y, prácticamente, la única— que se planteaba semejante opción, pero quiso estudiarla. Cambió de ginecólogo, porque, cuando le planteó la posibilidad de evitar la episiotomía en la medida de lo posible, se cerró a esta opción y le contestó que se trataba de un tema de seguridad. Ante esta respuesta, visitó varios hospitales hasta dar con una profesional que asistía partos «naturales» en el hospital que le cubría la mutua.

Pero el ritmo de las cosas se torció cuando llevaba doce horas con contracciones irregulares y avanzaba lentamente en la dilatación. La matrona que la atendió empezó a insistirle sobre la posibilidad de ponerle oxitocina sintética, porque «si no, mañana todavía estaremos aquí» y, cuando se resistía, la obsequió con otras frases de muy baja complicidad, como «parece mentira que en pleno siglo XXI —era el año 2000— estemos pariendo así». Y Ester cedió. Su parto pasó a ser una cadena de intervenciones que desembocó en un expulsivo que ella asegura «haber disfrutado», pero que dio a luz a Pol con vuelta de cordón y un color morado grisáceo por falta de oxígeno, que requirió de incubadora durante casi 24 horas.

Cuando llegó a la habitación, Ester quería levantarse para ir a dar el pecho al pequeño, pero «no me dejaron hacerlo hasta al cabo de seis horas, porque me mareaba y me temblaban las piernas». Finalmente, la llevaron en silla de ruedas y pudo ponérselo al pecho, con la ayuda de una enfermera. Pol se recuperó al día siguiente y lo amamantó durante casi dos años. La recuperación de Ester fue buena, porque no llevaba puntos de sutura, pero, cuando ella compone los sentimientos de esas 24 horas, sólo recuerda angustia e impotencia.

Habían pasado poco más de dos años, cuando quedó embarazada de Jan. Repitió el curso en Titania y, poco a poco, empezó a considerar la opción de parir en su casa. Le pregunto si no sentía miedo de que sucediera algún imprevisto que pudiera afectar la salud del niño y me contesta que fue la profesionalidad de las comadronas de Titania lo que la convenció. «Me aclararon que si no estaba perfectamente de constantes vitales y el bebé no estaba en el plano y la posición adecuados, tendría que acudir al hospital; y tanto Víctor como yo lo vimos lógico y accedimos, porque sentíamos que todo estaba controlado, pensado y preparado, y que, en estas condiciones, las probabilidades de que algo no fuera bien eran muy mínimas», asegura esta barcelonesa, pelirroja y de hablar pausado. Enseguida insiste en añadir que, en su estadística particular, ha comprobado, con el paso del tiempo, que los riesgos, en estas condiciones de control, eran «seguramente menores en casa que en el hospital», pero que nunca se hubiera perdonado si algo hubiera salido mal.

Aparte de la seguridad, también hablamos del dolor. Ester admite sin problemas que tenía miedo de si se sentiría capaz de soportarlo, sobre todo teniendo en cuenta que, en su primer parto, la dilatación fue larga y penosa. Pero el resultado mejoró con creces sus expectativas: las contracciones eran mucho menos bruscas, parecía que pidieran paso y, aunque fueran intensas, seguían una curva. Sentía el dolor como parte de un trabajo y el acompañamiento de su pareja y la matrona le proporcionó el valor y la fuerza para vivirlo con esperanza. Dice que se sentía como en una «burbuja», de la que sólo salía muy de vez en cuando para cerciorarse de quién estaba a su lado. En el momento del expulsivo, recuerda dos contracciones en las que se sentía que «no podía más» y que se partía en dos, pero pronto salió Jan, que pesó 4 kilos al nacer. Dos años más tarde, también en casa, nacería Sira, su primera niña, en un parto que ella asegura que fue incluso demasiado rápido.

De sus partos en casa, recuerda con emoción haber conseguido un grado de introspección y conexión consigo misma y con la criatura que iba a nacer muy alto y, a la vez, desconocido hasta entonces. Luego evoca ese momento, esas horas tan especiales que siguieron al parto, en las que tuvo a sus hijos encima de su piel, tal y como habían nacido, con todo ese manto de vérnix que los rodeaba y que lentamente se fue absorbiendo por sí solo. La presencia de los hermanos mayores durante el parto, en casa, también impregna una de sus vivencias más felices. Me apunta que el hecho de no tener que separarse de sus otros hijos para el parto fue una de las motivaciones que hicieron que se inclinara la balanza de esta pareja por el parto domiciliario. Ni ella ni Víctor podrán olvidar las palabras «Hola, Can», que Pol, su primer hijo, pronunció con 21 meses, al ver nacer a Jan. La misma emoción, mezclada con altos tintes de naturalidad, se respiraba en su habitación cuando nació la pequeña Clara, su cuarta hija. Ester todavía le daba el pecho cuando quedamos en un café de Barcelona, para reconstruir y reflexionar sobre el relato de sus partos.

Pepi Domínguez,
directora de la cooperativa Titània-Tascó (http://www.titania-tasco.com), miembro de la asociación Nacer en Casa (http://www.nacerencasa.org) (Barcelona)

El rostro de la calma

El caso de Ester Vidal es cada día menos excepcional en España. Es cierto que buena parte de las mujeres que planean un parto en casa andan con una primera mala experiencia bajo el brazo. Pero también hay parejas que empiezan a indagar en esta opción desde el primer embarazo. La formación en cursos de preparación al parto se hace imprescindible en estos casos, pero como la Seguridad Social no la cubre, muchos padres se ven obligados a pagar un mínimo de 1.600 euros por la asistencia, desde el pre al posparto, en alguno de los centros de salud privados o cooperativas que han surgido en muchas ciudades. La demanda ha crecido, sin lugar a dudas: la plantilla de la cooperativa de asistencia al parto en casa, Titània-Tascó de Barcelona, por ejemplo, está formada por tres comadronas, puede asistir sólo siete partos al mes y, a menudo, se ven obligadas a rechazar peticiones. La matrona Pepi Domínguez fue una de las que empezó a abrir este camino hace ahora ya veintiséis años. Hasta 1997 trabajó como enfermera y dio a luz a sus dos hijas en casa. Es la presidenta de la cooperativa Titània-Tascó y ha elaborado, junto a otras comadronas catalanas, la *Guía de actuación de la asistencia del parto en casa*, presentada en abril de 2010, desde la vocalía de comadronas del Colegio de Enfermería de Barcelona. Este manual, pionero en España, cuyo origen se remonta al protocolo que esta cooperativa presentó a la Consejería de Sanidad de la Generalitat, en el año 2002, unifica criterios de actuación durante el parto y el puerperio en la asistencia domiciliaria.

Cuando le insisto en hablar de la seguridad en los partos domiciliarios, saca a relucir su estadística particular, del todo satisfactoria. Pero, sobre todo, me insiste en que su equipo trabaja por la salud de la madre y el recién nacido y que, por lo tanto, antes de planificar el parto en casa, se aseguran de que se cumplan multitud de factores y variables, como que el feto esté bien colocado, sus constantes vitales sean buenas, la mujer cumpla todas las condiciones de bajo riesgo y se planifique el traslado hipotético al hospital más cercano. Viéndolas trabajar en su medio, es decir, en un domicilio, se comprueban altas dosis de seguridad y prudencia en su quehacer, pero también mucha tranquilidad, mucha calma y grandes dotes de empatía en el acompañamiento del dolor y la esfera emocional que rodea el parto.

Cuando sigo indagando en los posibles riesgos que puedan acaecer en el entorno domiciliario, Domínguez señala hacia Holanda como ejemplo, porque allí más del 30% de las mujeres paren en su domicilio con todos los gastos cubiertos por el sistema público y cita algunos estudios científicos, como el publicado en el año 2005 en el *British Medical Journal*, por investigadores del Centro para el Control y la Prevención de Enfermedades de Canadá. En España, Pepi Domínguez me señala que *Impacto*, boletín clínico, sanitario y social al servicio del SNS, vol. 2, n.º 6, del mes de junio de 2009, recogía el estudio holandés publicado en el *BJOG* —citado en la introducción de este subcapítulo— bajo el titular «Dar a luz en casa es una opción segura».

Graciela María Pérez,
matrona de formación en la Escuela de Matronas del King's College de Londres

Pequeños trucos

El sueño de Graciela María Pérez era convertirse en matrona, pero «como quería tener una base y una formación muy amplias para saber cómo actuar cuando se presentan anomalías en el proceso de parto», terminó la especialidad en la Escuela de Matronas del King's College de Londres. Partió a Inglaterra en 2001 y allí se quedó hasta 2008. A su vuelta, trabajó en el Centro Urdimbre, otro centro de referencia en la asistencia al parto domiciliario en España, y luego formó un equipo con otras dos matronas, con el que, actualmente, ofrece seguimiento del embarazo y asistencia al parto domiciliario.

Con Graciela hablamos de su experiencia en Inglaterra: tras terminar la especialidad, trabajó como enfermera de cuidados intensivos en una UCI de Manchester; luego pasó por el sistema de rotación habitual en ese país, que la llevó a trabajar durante un tiempo en urgencias del hospital del norte de Londres, y luego en un *group practice*, es decir, un equipo de matronas que tiene la oficina del centro de salud local junto al médico de cabecera y que sería algo parecido a la asistencia primaria de nuestro país. En Inglaterra, me asegura Graciela María Pérez, «la matrona se ocupa del seguimiento de todo el embarazo en las mujeres de bajo riesgo que le corresponden por zona». Llegado el momento de dar a luz, la mujer llama a la matrona asignada desde ese centro y esta misma profesional es la encargada de atender el parto normal, a no ser que ese día en concreto no esté de guardia, en cuyo caso la asistiría otra profesional del mismo equipo. Si el embarazo es de bajo riesgo, la gestante puede parir en casa o en el hospital, según su preferencia, y la matrona es la que decide, junto a ella, cuándo acudir a la asistencia del o de la obstetra, si aparece algún problema. «Aquí, en España, la matrona ha perdido su independencia y se la considera una auxiliar del médico. Allí es una matrona, con toda la formación y la responsabilidad que le confieren los estatutos internacionales de esta profesión y para cuya implantación un grupo de matronas luchó durante años. Eso sucedió en los sesenta, mientras que aquí todavía hoy la mayoría de los ginecólogos consideran los partos, todos los partos, como un acontecimiento de riesgo y, por este motivo, son ellos los que tienen la competencia para asistirlos. En todo este tiempo, a la sombra del obstetra, las matronas hemos perdido esos pequeños trucos que tanto pueden ayudar a la futura madre durante el parto.»

Cuando empezó a trabajar en Inglaterra, Graciela María Pérez se ponía «nerviosa» al ver a una gestante llorar o manifestar su dolor ante las contracciones, y suplicaba a sus compañeras que hicieran algo al respecto. Con el paso del tiempo, esta matrona joven adquirió la formación y el temple necesarios para acompañar a las mujeres durante todo el proceso del parto. Ahora, a su vuelta a su país natal, observa impotente muchas diferencias significativas por las que luchar: «La mayoría de las maternidades inglesas tienen una bañera o una ducha, y la mujer puede usarla para aliviar el dolor». Además, añade, si nace un bebé pretérmino, en muchos centros se coloca la incubadora al lado de la cama de la madre, en la misma habitación. Y, además, la matrona lleva años trabajando de forma independiente y «no teme asumir toda la responsabilidad del parto normal sobre sus hombros».

Eduard Gratacós,
jefe de servicio de Medicina Maternofetal del Hospital Clínic (Barcelona)

Datos de 2009:

- 17,8% cesáreas (ajustada a riesgo)
- 21% episiotomías en parto normal
- 14% partos instrumentados
- 82% epidurales en parto vaginal

En bici sin casco

«El parto más aparentemente inocuo puede acabar en tragedia. De ahí que, aunque la probabilidad sea bajísima, es como ir en bicicleta sin casco por una gran ciudad.»

Eduard Gratacós dirige el servicio de Medicina Materno-fetal del Hospital Clínic de Barcelona. En este centro sanitario de nivel terciario, un 57% de los partos que se asisten son de alto riesgo y una plantilla de cinco comadronas debe atender una media de once partos al día. Desde que empezó a ofrecer una Línea de Parto Natural avalada por la Generalitat de Cataluña, en 1998, se ha trabajado mucho para extender una asistencia lo menos medicalizada posible a todos los partos, en lugar de apostar por una unidad separada de parto natural. Gratacós asegura que ofrecer una «asistencia diferenciada» a las embarazadas que desean un parto natural se había vuelto «injusto», porque implicaba un alto consumo de recursos humanos, y porque partía de un error en la concepción del término: «Si le llamamos parto natural, ¿qué son los demás partos?».

A la Maternidad del Clínic de Barcelona acuden muchas mujeres de la ciudad que desean un parto poco intervenido. En el centro tienen seis salas, tres para la dilatación y nacimiento en partos de bajo riesgo, dos de nivel intermedio y una última de alto riesgo, es decir, un paritorio quirúrgico.

Gratacós explica que intentan llevar a cabo un tipo de asistencia mínimamente medicalizada basada en diversas premisas: primero, se identifica si el parto es realmente de bajo riesgo; segundo, en este tipo de casos es la matrona la que controla el proceso y asiste el nacimiento; tercero, las salas tienen un aspecto exterior no quirúrgico, pero que se pueden transformar en caso de complicación médica; cuarto, la mujer puede elegir entre analgesia epidural u otros métodos complementarios de alivio del dolor, puede moverse libremente y adoptar la postura que encuentre más cómoda, se practica la auscultación del latido fetal mediante monitorización cardíaca intermitente y puede ingerir algún alimento, si lo desea. En resumen, se aplican las recomendaciones de los manuales de la OMS. Sin embargo, a todas las parturientas que ingresan se les abre una vía endovenosa de forma profiláctica, para poder actuar en casos de urgencia. Esta práctica ha sido cuestionada por algunas parturientas que han dado a luz en el centro, pero Gratacós insiste en que «esa pequeña renuncia es necesaria para incrementar la seguridad», y añade que, «mientras no exista una evidencia clara que demuestre lo contrario, la evidencia disponible apoya que la posibilidad de intervenir de forma inmediata en medicina se puede ver seriamente comprometida si no se dispone de una vía endovenosa». Por lo tanto, en la Maternidad del Clínic consideran que «no sería prudente no seguir pagando este pequeño precio para evitar complicaciones irreparables».

«El parto no es propiedad de nadie. Es cierto que es una vivencia propia de la madre, pero hay que garantizar la posibilidad de un intervencionismo mínimo si se quiere mantener la mortalidad perinatal en los niveles tan bajos que tenemos ahora», afirma Gratacós.

Este profesional, cuyo servicio sigue la estela marcada por Vicenç Cararach, uno de los obstetras catalanes que más trabajó por devolver al parto el respeto por la fisiología de las mujeres, vuelve una vez más al ejemplo del inicio: el del ciclista sin casco.

6

Cesáreas. Ni una más de las necesarias

Glosario

¿Qué es? La cesárea es una incisión quirúrgica en el abdomen y el útero de la madre para extraer uno o más fetos. Viene del latín *caedere*, que significa «cortar», y es la intervención urgente de cirugía mayor más frecuente en los hospitales que atienden partos.

¿Qué efectos secundarios tiene?

1) En el recién nacido: la cesárea se asocia a un trauma obstétrico en un 5 ‰ casos, así como a secuelas respiratorias a corto y largo plazo. Los niños nacidos por cesárea con antecedentes familiares de rinitis alérgica y enfermedades atópicas, como la dermatitis, presentan un riesgo mayor de contraer estas patologías, debido a la ausencia del contacto con la flora vaginal y fecal de la madre que se produce en un parto vaginal y que refuerza el sistema inmunológico. La cesárea electiva sin indicación médica aumenta 2,9 veces la morbimortalidad perinatal.
2) En la madre: aumenta el riesgo de hemorragia pos-

parto y de sufrir cuadros de depresión y trastorno por estrés postraumático.

¿Cuándo debe realizarse? Cuando un parto vaginal conduce a complicaciones médicas (cesárea urgente) o cuando existe una patología previa (cesárea programada).

Sus indicaciones principales son:

1) En cesárea urgente: riesgo de pérdida del bienestar fetal diagnosticado por test de acidosis, fracaso de inducción, parto estacionado, desproporción pélvico-cefálica, riesgos maternos, y otras que se presentan más raramente, como prolapso de cordón o desprendimiento de placenta.
2) En cesárea programada: presentación transversa y podálica (de nalgas), placenta previa, gestaciones gemelares con un feto en posición no cefálica, problemas de salud maternos que desaconsejan el parto vaginal, embarazadas portadoras del virus de inmunodeficiencia humana (VIH) no adecuadamente controladas y otros virus genitales, así como embarazadas con dos cesáreas anteriores.

Revisar indicaciones

La cesárea es una intervención de cirugía mayor que sólo aporta beneficios en determinados casos, pero, en España, el seguimiento de su evolución indica que su uso se triplicó entre 1989 y 2008. En las últimas décadas se ha venido asociando la reducción de la mortalidad perinatal con la aparición y el perfeccionamiento de esta técnica quirúrgica. Sin embargo, con el paso del tiempo, las investigaciones científicas han comprobado que ambas tasas no siguen la misma tendencia, porque, entre otras razones, en algunos países o centros sanitarios con índices mucho más bajos de cesáreas que la media española —por encima del 25%— se observa un índice de mortalidad también menor.

¿Qué ha ocurrido? La OMS ya estableció a mediados de los años ochenta, en la Declaración de Fortaleza (Brasil), que un porcentaje mayor del 15% de cesáreas es poco justificable. Sin embargo, algunos profesionales advierten que no se trata tanto de mantenerse por debajo de una tasa límite de cesáreas, como de practicar sólo aquellas que son necesarias. ¿Por qué? Los estudios llevan años señalando sus bondades cuando existen patologías previas en la madre y/o en el feto, o bien cuando surgen complicaciones médicas por sufrimiento fetal o estancamiento demostrado del trabajo de parto. En estos casos concretos, la cesárea puede salvar vidas o evitar secuelas tan graves como, por ejemplo, una hipoxia que podría producir parálisis cerebral en el recién nacido. El temor a resultados perinatales de este tipo y sus consecuentes reclamaciones judiciales ha llevado a generalizar su aplicación, a menudo de forma profiláctica, innecesaria e inadecuada. En mujeres sanas con partos de bajo riesgo, que suponen más del 80% de los casos, esta intervención puede provocar efectos secundarios y complicaciones graves. A pesar de ello, en la sociedad se ha instalado la creencia errónea de que siempre será más segura que un parto vaginal. La administración sanitaria es consciente de ello y, por este motivo, ya en 2009, financió un proyecto multifacético de Estandarización de las indicaciones de cesáreas que establece en un protocolo cómo actuar en cada caso.

Los hospitales adheridos a esta estrategia ya han conseguido reducir sus tasas de cesáreas; sin embargo, en muchos centros sanitarios se siguen practicando cesáreas innecesarias.

Los profesionales de la red de formadores del Ministerio de Sanidad y Política Social refieren asimismo una reducción de las cesáreas urgentes, cuando se siguen las recomendaciones de la OMS durante la dilatación y se respetan los tempos que pide la fisiología del parto normal siguiendo el modelo «humanizado». No es una cuestión baladí: los efectos secundarios de las cesáreas incluyen secuelas no sólo físicas, como hemorragias en la madre, o problemas respiratorios en el bebé, sino también otras psicológicas, como depresión posparto o trastorno por estrés postraumático. Además, muchas mujeres que han dado a luz por cesárea hablan de un «malestar psicológico» poco comprendido y que se puede aliviar enormemente aplicando otra recomendación de la OMS: fomentar el contacto «piel con piel» entre madre y criatura recién nacida inmediatamente después de esta intervención quirúrgica.

TESTIMONIOS DE MUJERES

Sonia Rives,
madre de Lucas (Madrid)

PARTO 1: CESÁREA EN CLÍNICA PRIVADA. BUENAS PRÁCTICAS

- Auscultación del latido fetal: intermitente.
- Posición durante la dilatación: deambulación libre.
- Contacto madre-recién nacido: inmediato.

La buena cesárea

El caso de Sonia Rives ilustra hasta qué punto la cesárea se ha convertido en un avance científico de gran utilidad, cuando se aplica en el momento adecuado. Esta mujer diminuta y resuelta sabía que su hijo Lucas venía al mundo en posición de nalgas. En el hospital que le tocaba por zona de residencia no le ofrecieron la opción de intentar un parto vaginal y decidió desplazarse desde Madrid hasta la Clínica Acuario (Alicante), una de las pioneras en la atención fisiológica al parto, donde le garantizaron que dejarían que lo probara.

Entró en Acuario a las diez de la mañana, con una dilatación de un centímetro y enseguida rompió aguas. Tenía contracciones cada cinco minutos, pero el proceso de dilatación era lento. De madrugada, hacia las cuatro, volvieron las contracciones, muy dolorosas, pero seguían sin hacer avanzar el parto. Al cabo de pocas horas, ya se habían cumplido las 24 horas límite con la bolsa rota que se estipulan como máximo permitido para no perjudicar la salud del feto, en caso de que se haya practicado algún tacto vaginal. Había perdido mucho líquido amniótico y decidieron trasladarla a quirófano para practicarle una cesárea.

Cada profesional que entraba en la sala se presentaba y le explicaba qué intervención le iba a realizar a continuación. Dejaron que su marido, Germán, estuviera a su lado en todo momento. Sonia explica que cuando el anestesista les juntó las manos, supo que la operación iría bien y se relajaron. Cuando Lucas asomó su cuerpecito, se lo pusieron encima inmediatamente y le hicieron el test de reconocimiento Apgar a su lado. No la llevaron al área de reanimación, sino directamente a la habitación que le habían adjudicado. Tampoco la separaron ni un momento de su bebé recién nacido, que se enganchó enseguida al pecho y empezó a mamar.

Sonia asegura que no se deprimió en ningún momento cuando supo que le iban a practicar una cesárea, porque todo «fue gradual» y la dejaron intentarlo. «El trato fue excepcional», insiste, y admite que, aunque durante las primeras semanas le dolió el postoperatorio, al cabo de un mes ya estaba completamente recuperada.

Su experiencia cuelga del foro Apoyo Cesáreas de la página web de la asociación El Parto es Nuestro. Desde este mundo virtual donde muchas mujeres buscan explicación y consuelo, debe de haber ayudado a tantas y tantas otras embarazadas que, por razones parecidas, temen que su parto termine en el quirófano. Pero hay cesáreas que no dejan herida, sino que ayudan, curan y salvan. La mayoría de las mujeres que lo han vivido, como Sonia, explican que conseguir el contacto precoz entre madre y bebé es la clave para llevarse un buen recuerdo del paso por quirófano. La delicadeza de los profesionales en el trato durante la intervención constituye la otra gran baza.

A pesar de todo, Sonia me pide que deje claro que no está «contenta con que fuera una cesárea, ¡ojalá hubiera sido vaginal!, pero que, ya que tenía que serlo, creo que todas deberían ser así. Ahora estoy pensando en tener un segundo hijo y deseo que nazca mediante parto vaginal», comenta.

La Estrategia de Atención al Parto Normal del Ministerio de Sanidad y Política Social, la OMS y todas las sociedades profesionales implicadas detallan en sus documentos la importancia de impulsar el contacto precoz entre madre y recién nacido después de una cesárea. Cuando la madre no pueda, se debe ofrecer al padre la posibilidad de sustituirla. La literatura científica dice lo siguiente: «La criatura recién nacida y su madre deben permanecer juntas tras el parto y no separarse en ningún momento si el estado de salud de la madre lo permite. Inmediatamente después del nacimiento, se coloca al bebé sobre el abdomen de la madre, se le seca y se le cubre con una toalla». Los únicos procedimientos que se realizarán durante este período de contacto «piel con piel» son la identificación y la adjudicación del test de Apgar al recién nacido. Otros, como la profilaxis ocular, el peso o la vitamina K, pueden posponerse e, incluso, realizarse en presencia de los padres, tras su consentimiento.

Patricia Sanz,
madre de Carlota y Violeta (Madrid)

PARTO 1: CESÁREA EN HOSPITAL PÚBLICO DE REFERENCIA

- Auscultación del latido fetal: monitorización cardíaca electrónica continua.
- Posición durante la dilatación: decúbito supino.
- Contacto madre-recién nacido: al cabo de más de 12 horas.

PARTO 2: PARTO FISIOLÓGICO EN CLÍNICA PRIVADA

- Auscultación del latido fetal: intermitente.
- Posición durante la dilatación: deambulación libre.
- Contacto madre-recién nacido: inmediato.

Una pesadilla recurrente

Patricia Sanz nunca había cuestionado la sanidad pública; tampoco sus profesionales. Le indujeron el parto en la semana 41, más tres días, por protocolo, en el hospital de referencia que le tocaba por zona de Madrid. No tuvo ni una contracción natural. Le rompieron la bolsa amniótica para colocar los electrodos y monitorizar a la pequeña y le administraron oxitocina artificial. Tras doce horas de inducción fallida, a pesar de que no se detectó sufrimiento fetal en ningún momento, le anunciaron que lo mejor era hacer una cesárea, porque el parto se había «estancado». «El partograma que posteriormente solicité decía lo contrario. Llegué a estar de ocho centímetros de dilatación y había una evolución normal para ser una inducción, pero nadie me explicó nada de lo que estaba pasando», se lamenta Patricia, que añade que, cuando nació su hija, no pudo verla «hasta al cabo de unos minutos y, cuando por fin me la acercaron, a duras penas pude darle un beso en la frente». La niña lloraba. «No permitieron ni siquiera que su padre la tomara en sus brazos», insiste Patricia. Se la llevaron al nido, y a ella, a la sala de reanimación, donde estuvo casi doce horas. El relato de Patricia adquiere dureza conforme avanza: «Cuando tuve en brazos a mi bebé, las enfermeras me dijeron que la cogiera, porque llevaba toda la noche llorando y que ya le habían tenido que dar no sé cuántos biberones de suero. Luego se marcharon de la habitación, sin ayudarme». Esta mujer, de profesión publicista y aspecto sano y fuerte, asegura que se partía en dos por la lumbalgia que le provocó la analgesia epidural. Casi no podía levantarse. Al tercer día, tuvo grietas sangrantes en ambos pechos y, con el dolor, la tristeza, la culpabilidad y la ansiedad haciendo mella en su cuerpo, no resistió más y pidió que le retiraran la leche.

Pasaron dos años; no quería tener más hijos. El parto de Carlota se había convertido en una «pesadilla recurrente» y, a menudo, sentía ansiedad y tristeza. No recibió tratamiento psicológico alguno, pero, con los años, y después de leer sobre el trastorno por estrés postraumático, supo que ella había pasado por eso.

Al trauma que le quedó, se le sumaron otras dificultades en la crianza de su bebé. Carlota se retorcía de dolor después de cada biberón, porque era intolerante a la proteína de la leche de vaca, pero como el pediatra no detectó esta circunstancia hasta mucho después, estuvo tomando leche de vaca desde su nacimiento. Ella y su pareja pasaron muchas noches en vela y, durante el invierno del segundo año de vida de Carlota, el período más largo que pasó sin fiebre fueron once días, ya que padecía otitis recurrentes. «Ya no había más antibióticos que darle», cuenta Patricia. Finalmente, un segundo médico detectó que la niña era intolerante a la proteína de la leche de vaca por unos eccemas que presentaba en la piel. En su hablar castizo, Patricia insiste que fue en ese momento cuando empezó a «caerse del guindo»: «¿Cómo es posible que a una criatura sana le den todos los antibióticos disponibles hasta agotar sus posibilidades sin cuestionarse que hay algo que está funcionando mal»?, se pregunta. «Desde entonces, desconfío de todo», dice.

Con el paso del tiempo, se quedó de nuevo embarazada. «Sabía que no quería parir en casa, porque si surgía algún problema, podía acabar en el hospital más cercano, donde había nacido mi primera hija», explica. Quince días antes de salir de cuentas, se fue a Alicante para alojarse en un pueblecito situado al lado de la clínica privada que había escogido para dar a luz.

Su segunda hija, Violeta, nació de parto vaginal, sin epidural. Durante el expulsivo, y después de sentir durante un buen rato que no tenía ganas de empujar, le vino «una sensación de pujo brutal, muy dolorosa y repentina», que provocó el nacimiento de Violeta. Es el llamado «reflejo de eyección», que se da habitualmente en situaciones en las que la mujer se siente muy segura y libre, subraya la publicista. «La energía de ese momento me ha durado más de dos años», añade en un susurro. Patricia se relaja, por fin, y aclara: «Yo cargo con las incomodidades del posparto, pero lo que no estoy dispuesta a soportar son las consecuencias de las prisas de algunos profesionales por la presión de los horarios o porque no aplican protocolos actualizados».

«Por favor, deja claro que lo único que pedimos es que los profesionales determinen contigo qué parto debes tener y que no es una defensa de lo natural por lo natural», me insiste. «De hecho, a mí me gusta la Coca-Cola y no suelo comer pan de centeno», concluye esta publicista.

Investigadores del departamento de Obstetricia del Hospital Central de Helsingborg, en Suecia, analizaron las reacciones de estrés postraumático después de una cesárea de urgencia en un grupo de veinticinco mujeres, dos días después del parto y al cabo de entre uno y dos meses. En el primer período, el 76% afirmó haber experimentado su cesárea como una experiencia traumática. Al cabo de dos meses, ninguna padecía el perfil completo del trastorno por estrés postraumático (PTSD, tal como lo describe el manual de psiquiatría DSM-IV), pero una tercera parte tenía síntomas de reacciones de estrés postraumático serias. Este estudio fue publicado en 1997 en la revista científica *Acta Obstetrica Ginecologica Scandinavica* y confirmado en otro posterior del mismo equipo. Además, una revisión de la literatura científica sobre el tema, publicada en la *Clynical Psychology Review*, en 2006, por un equipo de la Universidad de Utrecht (Holanda) llegó a la conclusión de que «las reacciones traumáticas al parto son un importante tema de salud pública». El estudio identificaba los siguientes factores de riesgo asociados a estrés postraumático después del parto: una historia clínica previa con problemas psicológicos y síntomas de ansiedad, pero también las rutinas obstétricas realizadas, los aspectos negativos en el contacto mujeres-profesionales y la ausencia de soporte emocional.

TESTIMONIOS DE PROFESIONALES

Andrés Calvo,
jefe de servicio de Ginecología y Obstetricia del Hospital de Manacor (Mallorca)

Datos de 2009:

- 17,2% cesáreas
- 14,4% episiotomías en primigestas con parto vaginal eutócico
- 10% partos instrumentados
- 55% epidurales

Más allá del porcentaje

El proyecto multifacético de Estandarización de las indicaciones de cesáreas establece en un protocolo cuándo y cómo practicar esta intervención quirúrgica. Andrés Calvo, jefe de servicio de Ginecología y Obstetricia del Hospital de Manacor (Mallorca), fue su principal ideólogo. Con la colaboración de su equipo, revisó todas las indicaciones médicas que estipula la literatura científica, las clasificó en un documento y, por último, instó a seguir sesiones clínicas, en las que todos los profesionales del servicio discutían y analizaban si las operaciones ya practicadas habían sido realmente adecuadas. El proyecto empezó a funcionar en el año 2003, en su hospital, y enseguida se extendió a todos los centros sanitarios de la red pública de las Islas Baleares. En abril de 2009, seis hospitales públicos de la Península se sumaban a la iniciativa, para registrar, al cabo de pocos meses, una modificación sustancial en sus tasas. El servicio que dirige en Mallorca asiste una media de 1.300 partos al año y tenía un índice de cesáreas del 15% en 2005, del 18% en 2008 y del 16% en 2009, unos números que están muy por debajo de la media española del 25%.

Sin embargo, a Andrés Calvo no le gusta hablar de una «cifra mágica» límite, como el 15% que establece la OMS. Este experto prefiere hablar de cesáreas necesarias e innecesarias, porque no le preocupa tanto el valor de una determinada tasa como la adecuación de esta práctica a la evidencia científica. «No es lo mismo tener una población obstétrica formada por mujeres añosas y con patologías previas que una mayoría de pacientes jóvenes sin complicaciones médicas», argumenta Calvo. Por este motivo, su proyecto ha elaborado un primer registro con una base de datos que tiene en cuenta todas estas variables y define con precisión cómo actuar en las situaciones en que existen diferencias de opinión o actuación entre profesionales.

Pone un primer caso conflictivo, muy frecuente: cuando un parto se estanca, antes de intervenir se deben comprobar toda una serie de circunstancias, como que la bolsa amniótica ya esté rota y la dilatación lleve más de cuatro horas sin avanzar, a pesar de que la dinámica uterina siga activa, es decir, sigan produciéndose contracciones. No obstante, muchos obstetras y comadronas inducen el parto sin que se cumplan todas estas condiciones previas.

Otro ejemplo sería el del llamado «parto de nalgas». Desde que, en 2001, un estudio publicado en una revista científica aconsejó la cesárea en estos casos, ha dejado de practicarse y muchos ginecólogos jóvenes no han sido formados para asistirlos por vía vaginal. Ya hace años que la citada investigación fue criticada y revisada y, en consecuencia, algunos centros sanitarios vuelven a ofrecer, en casos seleccionados, la posibilidad de intentar el parto vaginal. No obstante, todavía existen muchos otros que no siguen estas últimas indicaciones y planifican directamente una cesárea.

Para Calvo, los profesionales disponen de dos importantes recursos para disminuir el número de operaciones: el primero, seguir las directrices que establece la literatura científica, reunidas en su protocolo, y el segundo, revisar los casos ya realizados en sesiones clínicas grupales. Además, una guía de estas características deviene un arma decisiva contra la «mala praxis» por prisas o miedo a demandas judiciales.

¿La clave del éxito? «Que todo el equipo asuma estos estándares», responde el obstetra. Andrés Calvo es consciente de que no se trata de una tarea fácil, pero señala un último ejemplo, ilustrativo: «Si en un hospital se practicaran cincuenta apendicitis innecesarias, la gente se escandalizaría rápidamente. En cambio, no ocurre lo mismo cuando se trata de la cesárea, ya que es percibida, de forma errónea, como una intervención de poco riesgo».

Juan Carlos Melchor,
profesor titular de Obstetricia y Ginecología del Hospital Universitario de Cruces (Barakaldo, Bilbao) y ex presidente de la sección de Medicina Perinatal de la Sociedad Española de Ginecología y Obstetricia (SEGO)

Un debate social

Las últimas recomendaciones establecidas por la SEGO, y que siguen vigentes desde el mes de febrero de 2008, insisten en la necesidad de tener un «manejo expectante» del proceso de parto. Juan Carlos Melchor, que fue presidente de la Sección de Medicina Perinatal de esta sociedad profesional hasta el año 2009, asegura que, «cuando las fases del parto transcurran dentro de los límites de la normalidad, se debe respetar el tiempo necesario para el desarrollo del proceso, evitando las acciones dirigidas a acelerar o retardar el mismo, como pueden ser el uso de oxitocina por vía intravenosa o la rotura de membranas».

Entonces, ¿por qué tiene España una tasa de cesáreas tan

alta?, le pregunto. Melchor asegura que influyen tanto problemas médicos como extramédicos, principalmente sociales y judiciales: «Creo que debería realizarse un debate nacional para definir cuál es el tipo de parto que la sociedad española quiere, porque no se puede pedir "partos no intervenidos" o solicitar "cesáreas a demanda" por miedo al parto o porque se piense que la cesárea no tiene complicaciones, cuando se ha podido demostrar que las presenta, tanto a corto, como a medio, como a largo plazo; y por otro lado, judicializar todos los resultados de la atención al parto, si la familia no está de acuerdo con los resultados del mismo. De la misma forma, tampoco se puede demonizar esta intervención quirúrgica que tantos casos complicados ha solucionado».

Un estudio del Centro para el Control y la Prevención de Enfermedades de Estados Unidos, publicado en el año 2006, concluyó que las cesáreas que se practican sin justificación médica aumentan 2,9 veces la mortalidad en las primeras semanas de vida, en comparación con los partos por vía vaginal. Los investigadores argumentaron, entre otras razones, que el paso del bebé por el canal de parto tiene efectos beneficiosos sobre el niño al estimular la liberación de hormonas que favorecen el trabajo pulmonar.

En España, un hospital público puede tener una tasa de cesáreas 3,5 veces mayor que otro situado a menos de cien kilómetros de distancia. Algunos hospitales terciarios, que son los que concentran más casos de mujeres con alto riesgo, tienen cifras más bajas que muchas clínicas privadas o centros sanitarios comarcales. La variabilidad entre comunidades autónomas y zonas geográficas también puede alcanzar cotas enormes, del 8,9.

Son datos de un informe publicado en el año 2009 por el ATLAS de Variaciones en la Práctica Médica (ATLAS VPM) en el SNS, un proyecto con financiación pública que establece indicadores de calidad asistencial. Después de analizar todas las altas hospitalarias por parto producidas en los hospitales públicos de trece comunidades autónomas, entre los años 2003 y 2005, sus autores concluyeron que «no son la edad ni el riesgo obstétrico de las pacientes las razones que explican semejante variabilidad en las tasas de cesáreas, sino las diferencias en los estilos de la práctica clínica de los profesionales que intervienen en la asistencia al parto».

El coordinador científico del ATLAS VPM, Enrique Bernal, insiste en que, al excluir —entre otras— las tres indicaciones mayoritarias para practicar una cesárea, que son la presentación de nalgas, la cesárea previa y la distocia —parto anormal—, seguía existiendo un porcentaje de cesáreas del 15% y la variación entre hospitales se hizo todavía mayor. Según el documento, algunas variables, como el mayor número de obstetras en la plantilla, el nivel tecnológico del centro —tener una UCIN— o el menor nivel socioeconómico del área geográfica influyeron negativamente.

Las motivaciones de las mujeres tampoco pueden explicar semejante variación, argumenta este investigador, que dirige la Unidad de Investigación en Servicios Sanitarios del Instituto Aragonés en Ciencias de la Salud (IACS). «Por ley estadística, es de esperar que en poblaciones suficientemente grandes sus preferencias se distribuyan aleatoriamente», concluye Bernal.

7

Partos instrumentados: fórceps y ventosas

¿Qué es un parto instrumentado? Un parto instrumentado es aquel que requiere la utilización de un instrumento para facilitar la extracción del feto.

¿Cuándo debe realizarse? El parto instrumentado está indicado cuando hay una prolongación del período expulsivo más allá de los límites que se consideran normales o cuando está comprometido el bienestar fetal.

Fórceps. Es un instrumento en forma de pinzas articuladas entre sí que permite facilitar la salida de la cabeza del feto, reemplazando la presión desde arriba por una tracción desde abajo, pero siempre respetando el mecanismo de parto normal.

¿Qué efectos secundarios tiene? Una última revisión en la base de datos Cochrane asegura que los fórceps reducen los casos de cefalohematoma y hemorragia retiniana en el recién nacido, como ventaja respecto a la ventosa extractora.

¿Ventosa extractora? Es otro instrumento con los mismos fines, pero en forma de copa, unida a un sistema de tracción y otro de vacío. El principal beneficio asociado con la extracción con ventosa en comparación con los fórceps es la reducción general de lesiones maternas.

Respetar los tempos del parto

El parto vaginal asistido con la ayuda de fórceps o ventosas es una intervención obstétrica practicada en todo el mundo. Pero, de forma parecida a lo que ocurre con la cesárea, su práctica se ha ido generalizando en España hasta el punto que algunos profesionales aseveran que a menudo se practica de forma profiláctica, sea para evitar demandas judiciales en caso de malos resultados perinatales, sea para agilizar el proceso del expulsivo, por cuestiones de comodidad, organización del servicio o estilo profesional. Pero el parto instrumentado entraña sus riesgos, tanto para la madre, que puede sufrir lesiones en el periné, como para el bebé, que puede padecer hematomas o hemorragia retiniana.

Tanto la OMS como la Estrategia de Atención al Parto Normal española recogen diferentes técnicas que pueden ayudar a reducir las tasas de parto instrumentado en los hospitales. Entre ellas destacan el acompañamiento durante el parto, el manejo activo del período expulsivo con oxitocina, la postura vertical usando un cojín de parto y el análisis de una muestra de sangre del cuero cabelludo fetal, cuando se detectan desaceleraciones de la frecuencia cardíaca fetal. También subrayan la necesidad de respetar la deambulación libre y los cambios de posición durante la dilatación y, de forma paralela, desaconsejan la aplicación rutinaria y profiláctica de otras intervenciones, como la utilización de oxitocina sintética y/o la rotura de la bolsa de rutina, que aumentan la demanda de analgesia epidural, cuya administración se relaciona con una tasa más alta de partos instrumentados.

Entre los distintos instrumentos que facilitan la extracción fetal, los protocolos internacionales advierten que la ventosa reduce la morbilidad materna y, por este motivo, la recomiendan como primera opción, siempre que el personal haya alcanzado un estándar mínimo de entrenamiento en este método. Una última revisión en la base de datos Cochrane asegura, sin embargo, que con los fórceps se reducen los casos de cefalohematoma y hemorragia retiniana en los recién nacidos. La OMS especifica que el parto instrumentado puede ser practicado con una frecuencia tan baja, como en el 1,5% de los partos (República Checa), o tan alta, como en el 15% (Australia y Canadá). «Estas discrepancias quizá se relacionen con los diferentes manejos del trabajo de parto», concluye la investigación citada en esta base de datos.

TESTIMONIOS SOBRE PARTOS INSTRUMENTADOS

Juana María Caparrós,
madre de María y Davinia (Ceutí, Murcia)

PARTO 1: CESÁREA EN HOSPITAL PÚBLICO DE REFERENCIA

- Auscultación del latido fetal: monitorización cardíaca electrónica continua.
- Posición durante la dilatación: decúbito supino.
- Contacto madre-recién nacido: al cabo de unas horas.

PARTO 2: FISIOLÓGICO CON VENTOSA EN HOSPITAL PÚBLICO. BUENAS PRÁCTICAS

- Auscultación del latido fetal: intermitente.
- Posición durante la dilatación: deambulación libre.
- Contacto madre-recién nacido: inmediato.

Moverse, bañarse, cambiar de postura

Juana María Caparrós empezó a sentir las primeras contracciones un martes de finales de enero. Como eran irregulares, se lo tomó con calma. Dejó a su hija María, de 4 años, con sus padres, hizo las maletas y emprendió el viaje. No iba a parir otra vez en el hospital que le tocaba por zona, donde no vio nacer a su primera hija, porque dormía cuando le practicaron una cesárea, según ella, «injustificada».

Juana María vive en Ceutí (Murcia), pero ingresaba con su marido en el Hospital La Inmaculada de Huércal-Overa (Almería), a media mañana del miércoles. Su segunda niña, Davinia, vino al mundo el sábado, después de casi cuatro días de trabajo de preparto y parto. Ni rasurado del pubis, ni lavativa ni episiotomía —tan sólo un pequeño desgarro—. Davinia nació de parto vaginal, instrumentado con la ayuda de ventosas, sintió la piel de su madre nada más salir de su vientre y trepó por su abdomen buscando el pezón, tal y como su madre había soñado.

¿Dolor? Ya no se acuerda. Paseó, cambió de postura, descansó, se bañó y comió algo liviano, cuando el cuerpo se lo pidió. Sí habla de cansancio y de momentos de desánimo, pero enseguida se emociona cuando relata cómo la matrona y su marido no cesaban de animarla. Cuando se acercó el momento decisivo, en las últimas horas, la profesional no se separó ni un minuto de su lado. «Hay momentos en que quieres tirar la toalla y rendirte. Es entonces cuando la comadrona se hace decisiva para guiarte, ser realista y ayudarte a valorar cómo seguir y hasta dónde, porque llega un punto en el que te vas como a otro mundo, te sientes como drogada, pero a la vez eres consciente de cada minuto que pasa», explica Juana María, un tanto absorta, como transportada por emociones demasiado íntimas para resumirlas en palabras.

«¿Volverías a hacerlo?», pregunto. «Sin dudarlo, a pesar del dolor.»

Y ahí se viene abajo. Sus pensamientos viajan hacia su primer parto. Fue cuando nació su primera hija, María, en el hospital que le tocaba por zona, en Murcia. Llevaba dos horas dilatada a cinco centímetros, cuando el ginecólogo dijo que el parto se había estacionado y había que practicar una cesárea. En su historia clínica no figura ningún tipo de registro alterado del sufrimiento fetal. Juana María no vio nacer a su hija. Tampoco la abrazó hasta que salió de la sala de reanimación, horas más tarde. Cuando se repone a sus recuerdos, insiste: «Mientras estuve tumbada en la camilla, atada al monitor, sólo dejaron entrar a mi marido de vez en cuando. Sin embargo, cada media hora pasaba un ginecólogo o una matrona diferente a hacerme un tacto vaginal, sin ni siquiera comentármelo».

Como tantas otras madres de niños y niñas nacidos por cesárea, cuando se quedó embarazada de nuevo, Juana María devoró todos los libros que cayeron en sus manos. A partir de ahí, se dio cuenta de que no tenía por qué someterse necesariamente a otra cesárea. El ginecólogo no le dio otra opción.

Fue entonces cuando decidió que viajaría a otro centro, si era necesario. «La mayoría de las madres no tenemos ni idea de lo que significa oxitocina, epidural o por qué motivos se acaba tan a menudo en una cesárea. Nadie nos ha informado de antemano», concluye Juana María. Para esta murciana, el parto instrumentado de su segunda hija, asistido con ventosa extractora, no es visto como un trauma. Todo lo contrario. Cada intervención tuvo su tiempo, su fisiología fue respetada y la ventosa extractora se convirtió en una ayuda inestimable.

María González,
madre de Juan y Pedro (Barcelona)

PARTO 1: CESÁREA EN CLÍNICA PRIVADA

- Auscultación: monitorización cardíaca electrónica continua.
- Posición durante la dilatación: decúbito supino (tumbada).
- Contacto: al cabo de unas horas.

PARTO 2: PARTO INSTRUMENTADO CON FÓRCEPS EN CLÍNICA PRIVADA

- Auscultación: monitorización cardíaca electrónica continua.
- Posición durante la dilatación: decúbito supino (tumbada).
- Contacto: tras más de hora y media de sutura de la episiotomía.

«Tengo un titular.»

Cuando nos encontramos con María para la entrevista, ya han pasado algo más de dos meses desde el nacimiento de su segundo hijo, Pedro. María es una mujer bella, inteligente, de mirada clara. Con el tesón y la valentía que da la maternidad, empieza a alejar los fantasmas del enorme sufrimiento que vivió durante un posparto desgraciado. María también es periodista. Es compañera y amiga. Al final de nuestra charla, me dice: «Tengo un titular». Es claro, incisivo, doloroso: «Un parto puede ser brutal, demasiado instrumentado, poco humano». Y no culpa directamente a nadie. Su mirada se pierde porque sabe bien que la culpa no va a reparar la herida que los fórceps y la episiotomía han dejado en la zona más íntima de su cuerpo. Excusa a su ginecólogo, pues asegura que ahora se preocupa mucho por su recuperación.

La historia de María, como la de tantas otras mujeres, empieza con la «c» de cesárea. Así tuvo a su primer hijo dos años antes, tras un trabajo de parto estancado. La experiencia todavía la rebelaba cuando llegó el segundo embarazo. Leyó con emoción *Nacer por cesárea*, un libro escrito por la psiquiatra Ibone Olza y el obstetra Enrique Lebrero. A partir de esta lectura, empezó a hablar a su ginecólogo de la posibilidad de un parto vaginal después de cesárea, pero sin hacerse demasiadas ilusiones, «es que ya estaba escarmentada de lanzar demasiadas palomas al vuelo».

Cuando Pedro quiso venir al mundo, María empezó rompiendo aguas. Llegó a la clínica dilatada de un centímetro. La ingresaron para, a continuación, recibir toda una cadena de intervenciones: permaneció tumbada e inmovilizada durante horas, con monitorización cardíaca continua del latido fetal, tactos vaginales, también frecuentes, oxitocina por vía intravenosa y epidural, a discreción. Después de más de doce horas, consiguió llegar finalmente a la dilatación completa y la trasladaron al paritorio.

Allí, sin cambiar de posición, le hicieron otros tactos. María asegura que oía sus voces nerviosas, que decían «aquí tiene la oreja», «no baja»... El ginecólogo le contó que, aunque ya estaba dilatada del todo, el niño no avanzaba hacia el plano adecuado. Le pusieron una nueva dosis de anestesia epidural y cuando rechistó, porque temía que entonces no podría sentir las piernas, le dijeron que no había medias tintas: «O más epidural, o no vas a poder soportar el dolor». Impotente, tiró la toalla y ya no pudo más que «dejarse hacer».

Al cabo de un rato, que a María le pareció una eternidad, el bebé asomó su cabecita con la ayuda de fórceps. Se lo pusieron un momento encima, pero enseguida se lo llevaron para arreglarlo. Luego se lo dieron a su padre. «Ahora hay que coser a mamá», le dijeron a su marido. Eso fue todavía peor: «Mis amigas me habían contado que habían tardado unos 10-15 minutos en coserles la episiotomía. Yo estuve hora y media, cronometrada por mi familia que, preocupada, esperaba fuera», cuenta con unos ojos azules abiertos cual faros que, desde entonces, se pierden en una marea gris y lejana. A pesar de la alta dosis de anestesia que llevaba, María narra que sentía un par de puntos en los que el médico parecía luchar contra algún obstáculo. «Es como coser mantequilla», le respondieron cuando preguntó qué sucedía.

Ya en su habitación, la tuvieron que sondar para que pudiera hacer sus necesidades, pero, con su hijo precioso en brazos, olvidó todo el sufrimiento. Por unos días, sólo por unos pocos. Al cabo de un mes, empezó a tener problemas para caminar. El dolor la partía en dos y tenía que pararse, sentarse o tumbarse. Cuando fue a la consulta de su ginecólogo, descubrieron que los puntos internos no se habían deshecho solos y le provocaban un edema. Se los extrajeron en la consulta durante dos o tres sesiones, cuyo dolor le cuesta expresar.

Pero la historia del posparto de María no se acaba aquí; de nuevo, con el paso de los días, le diagnosticaron un granuloma —una mala cicatriz en las mucosas internas— e incontinencia. Ni ella sabe qué le va a costar más, si la recuperación física o la psíquica. Sin embargo, en sus palabras no alberga ningún indicio de victimismo. Tampoco surgen lágrimas que desborden la narración. En algún momento se consuela comentando que, por lo menos, su hijo nació sano y acabó todo bien. Pero pronto se para y añade, con la lucidez propia de quien no se permite el engaño: «Claro, con eso juegan, con que el niño ha nacido bien. Pero yo sigo preguntándome si todo lo que he sufrido era necesario».

Sus dudas son dolorosas, concisas, dignas, incluso desesperantes. Me voy triste, preguntándome quién va a contestarle. De todas las mujeres que han aparecido en este libro, sólo ella me ha pedido que le cambiara el nombre.

TESTIMONIOS DE PROFESIONALES

Luis Fernández-Llebrez del Rey,
jefe de Sección de Partos del servicio de Obstetricia y Ginecología del Hospital Universitario de Cruces (Barakaldo, Bilbao) y coordinador científico de la Guía de Práctica Clínica sobre la Atención al Parto Normal *en el SNS*

Datos de 2008:

- 11,5% cesáreas
- 7,5% ventosas
- 8,2% fórceps
- 29,6% episiotomías

Una visión realista

El Hospital de Cruces tiene una de las tasas de cesáreas más reducidas del estado español. Su jefe de la Sección de Partos es Luis Fernández-Llebrez del Rey, un obstetra accesible y pragmático, cuya trayectoria profesional le ha llevado a coordinar, junto a la ex consejera de Sanidad de Cantabria, Rosario Quintana, la *Guía de Práctica Clínica sobre la atención al Parto Normal* en el SNS.

Cruces es conocido como un modelo de buenas prácticas, sobre todo en cuanto a la reducción de cesáreas y la indicación de partos instrumentados. «Tratamos de hacer únicamente aquellas cesáreas para las que existe realmente una indicación basada en la evidencia científica. Probablemente esto condiciona que tengamos algunos partos instrumentados más, lo cual es lógico ya que en otros lugares parte de estos partos instrumentados probablemente serían cesáreas», explica Fernández-Llebrez.

Cuando le pregunto por algunas de las prácticas que se relacionan con una reducción de los partos instrumentados, el jefe de la Sección de Partos asegura que, por ejemplo, las mujeres que reciben apoyo continuo y personal durante el trabajo de parto tienen mayor probabilidad de parto vaginal espontáneo y menor probabilidad de tener un parto vaginal instrumentado o por cesárea. El obstetra añade que las posiciones verticales, comparadas con la supina, se asocian a una menor duración del período expulsivo, menos nacimientos asistidos, tasas menores de episiotomías, menor dolor agudo durante la segunda etapa del parto y menos patrones anormales de la frecuencia cardíaca fetal. Sin embargo, estas posturas pueden tener efectos secundarios, como un mayor número de desgarros de segundo grado y de hemorragias posparto. Por este motivo, continúa Fernández-Llebrez, la recomendación actual es que la mujer adopte la postura que prefiera.

En Cruces se asisten partos de nalgas, por ejemplo. Sin embargo, tanto el parto de nalgas como la cesárea tienen un riesgo mayor que el parto en cefálica; por ello, emplean una técnica llamada «versión cefálica externa» que, mediante maniobras externas, consiste en girar al feto desde la posición de nalgas a la de cefálica, lo cual se consigue en un 54% de los casos aproximadamente, permitiendo un parto normal. Aunque la maniobra no está exenta de riesgos, éstos son mínimos, cuando se comparan con los de un parto de nalgas o una operación quirúrgica. En muchos otros hospitales de nuestra geografía, en cambio, esta posibilidad apenas se contempla, ni tampoco se forma a los profesionales para ello. Cuando el feto viene en posición de nalgas, se practica directamente una cesárea, una intervención en absoluto exenta de riesgos y complicaciones a corto y a largo plazo.

Sobre la idoneidad de escoger entre el uso de la ventosa extractora o el fórceps, este obstetra asegura que, «en términos de tasas de cesáreas, no existe diferencia entre ambos instrumentos, en cuanto a resultados neonatales a largo plazo, ni tampoco en cuanto a secuelas psicológicas o de satisfacción maternas». Para Fernández-Llebrez del Rey, la elección del instrumento depende del balance entre las circunstancias clínicas y la experiencia del obstetra con cada uno de los instrumentos.

Fernández-Llebrez insiste que cabe tener una «visión realista» de las posibilidades del sistema sanitario público en la asistencia al parto: «Lo que vulgarmente se conoce como "parto fisiológico" o "parto natural" es lo que los profesionales llamamos "parto no intervenido" y que responde al principio básico de que el parto es un proceso fisiológico y que, en ausencia de complicaciones o riesgos, su evolución espontánea es más segura para la madre y su hijo. En el parto normal debe existir una razón válida para interferir con el proceso natural y es necesario disponer de evidencia sobre los beneficios de cualquier intervención, antes de aplicarla. La puesta en práctica de este principio requiere de espacio, tiempo y dedicación. La mayoría de los grandes hospitales del sistema sanitario público español soportan, por un lado, una gran presión asistencial y, por otro, escasez de plantillas. No cabe duda de que ambas circunstancias dificultan el manejo del proceso del parto desde esta óptica».

José Francisco Montoro,
director de la unidad de Obstetricia y Ginecología del Hospital San Juan de la Cruz (Úbeda, Jaén)

2 matronas por turno: 5 partos diarios

Datos de 2007:

- 17,41% cesáreas
- 11,42% episiotomías
- 6,62% partos instrumentados
- 33,56% epidurales

«Las matronas iniciaron el cambio.»

José Francisco Montoro empieza por aclarar que pertenece a la «generación de obstetras del parto instrumentado», es decir, la de aquellos que se formaron en los años setenta con los últimos avances de la tecnología médica aplicada a la asistencia al parto. «No se puede desdeñar que, gracias a esta generación, se ha conseguido en España uno de los mejores índices de morbimortalidad maternoinfantil del mundo», recuerda Montoro.

El discurso del director de la unidad de Obstetricia del Hospital San Juan de la Cruz en Úbeda (Jaén) adquiere matices conforme avanza la conversación. Lidera otro de los servicios con una de las tasas de cesáreas y partos instrumentados más bajas de España.

«Que una cesárea sea hoy una intervención que dura no mucho más de veinte minutos y el avance de la técnica permita mayor rapidez en la recuperación de la mujer es un logro.

Otra cosa es que se llegue a este tipo de operaciones de cirugía mayor por cuestiones de rapidez, comodidad o miedo a los litigios. Los ginecólogos somos la especialidad médica con unas pólizas de responsabilidad civil más altas, porque en cualquier parto normal puede haber desviaciones.»

Montoro quiere dejar claro que «no hay que ser talibán», ni llevar la defensa del parto poco intervenido a radicalismos exagerados, pero «la sociedad avanza y las mujeres han empezado a pedir un parto menos intervenido que, a su vez, está avalado por lo que dice la literatura científica».

En su equipo, fueron las matronas las que empezaron a demostrar que algunas intervenciones eran innecesarias. Montoro fue apoyándolas en este cambio «suave» y «muy estudiado», que empezó fomentando el contacto precoz madre-recién nacido y eliminando prácticas como el enema, y acabó con la restricción de las episiotomías.

«Los ginecólogos se suman al carro cuando empiezan a aceptar una mayor implicación y responsabilidad de las matronas», explica el obstetra. «Los beneficios repercuten sobre todos, no sólo sobre las mujeres, que manifiestan mayor satisfacción y menos morbilidad, sino también sobre los obstetras, porque las guardias se hacen más relajadas, menos estresantes y todos estamos más tranquilos, porque son matronas muy preparadas. Los resultados también revierten sobre la cohesión y la autoestima de todo el equipo.»

Cuando las matronas empezaron a introducir cambios, él les repetía siempre la misma frase: «Lo que queráis, pero quiero estar informado». Para una buena implantación de los protocolos internacionales, comenta Montoro, «es de vital importancia el acuerdo entre ginecólogos y matronas y dejar que los profesionales trabajen libremente según objetivos, sin presiones de la dirección de gerencia». Montoro asegura que, «aunque en los hospitales comarcales las plantillas son proporcionalmente menores que en los hospitales de referencia y, por lo tanto, la carga de trabajo y la presión asistencial es mayor, la edad media de las matronas y los especialistas es menor y, en general, están más abiertos a los cambios, mientras que, en otros hospitales de referencia que forman parte de la estructura docente, los profesionales acostumbran a tener una edad media más alta y son más rígidos antes los cambios de este tipo».

La *Guía de asistencia al parto poco intervencionista* del Hospital San Juan de la Cruz conviene que «en el parto normal debe existir una razón válida para interferir en el proceso natural». Deja claro también que la evaluación de riesgos debe ser continuada y que, en cualquier momento, «pueden aparecer complicaciones que pueden inducir a tomar la decisión de cambiar los cuidados». Aparte de estipular en un protocolo la función de cada profesional, también incluye una valoración psicológica de la gestante y su familia, con consejos para respetar la intimidad y mejorar el trato. La página web (http://www.matronasubeda.com) también contiene un compendio de documentación científica y un modelo de Plan de Parto, fácil de leer y entender.

8

Tras el nacimiento, en brazos de mamá

Glosario

Cuidados centrados en el desarrollo. Conjunto de intervenciones que favorecen el contacto entre el recién nacido prematuro y su familia, así como el respeto por su desarrollo. Comprende medidas tan diversas como controlar el ruido y la luz en torno a las incubadoras, fomentar el método Madre Canguro, implantar un protocolo de mínima manipulación, medidas para el confort y el control del dolor y permitir la entrada de los padres en las unidades de Neonatología durante las 24 horas. Los Cuidados Centrados en el Desarrollo (CCD) exigen la aplicación de la metodología NIDCAP (*Newborn Individualized Developmental Care Assessment Program*, conocido en España por sus siglas en inglés).

Método Madre Canguro. Atención a los niños prematuros manteniéndolos en contacto piel con piel con sus madres. Aunque se aplicó por primera vez, en los años ochenta, en una gran maternidad pública de Bogotá (Colombia) para suplir la escasez de incubadoras, la OMS estableció la eficacia de este tipo de cuidado al publicar una *Guía práctica* *del método Madre Canguro*, donde se considera que éste «repercute eficazmente sobre el control de la temperatura, la lactancia materna y el establecimiento de vínculos afectivos en todos los neonatos, al margen de su entorno, peso, edad gestacional y situación clínica».

Período «sensitivo». Tiene lugar durante las dos primeras horas después del nacimiento y es provocado por la descarga durante el parto de oxitocina y noradrenalina, hormonas que facilitan el reconocimiento temprano del olor materno. La separación madre-recién nacido durante este período altera este proceso esencial para establecer el vínculo, la lactancia materna y la adaptación al ambiente posnatal.

Test de Apgar. Examen médico creado para evaluar rápidamente la condición física del recién nacido y medir, en una escala del 0 al 2, la actividad y el tono muscular, la frecuencia cardíaca, la irritabilidad refleja, la coloración y el esfuerzo respiratorio. Fue creado en 1952 por la anestesióloga Virginia Apgar para determinar la necesidad de cualquier intervención médica urgente.

Vínculo. Proceso conocido científicamente con el nombre de *attachment* («apego») en el que, a través de la relación con la madre, el bebé va forjándose la huella e imagen de sí mismo con relación al mundo.

8.1. Contacto precoz y lactancia materna, desde la primera hora

En el vientre materno, el feto se halla en un medio acuoso, oscuro, mecido por el calor, el tacto continuo y un cúmulo de sonidos filtrados. ¿Dónde llega al nacer? Demasiado a menudo todavía, en los paritorios, muchos bebés descansan un par de minutos sobre el seno materno, pero enseguida son apartados de ese ambiente natural para llevarlos a examen pediátrico en un cubículo o sala aparte. Los documentos científicos y estrategias, tanto nacionales como internacionales, recomiendan, en cambio, una serie de procedimientos, cuyo eje principal consiste en colocarlo inmediatamente sobre el abdomen de la madre, secarlo y abrigarlo con una toalla, esperar hasta que el cordón umbilical deje de latir antes de cortarlo y practicarle la identificación y el reconocimiento pediátrico básico a través del test de Apgar en presencia de sus progenitores. Es el llamado contacto precoz «piel con piel» que debería durar, según las investigaciones, entre 50 y 120 minutos y no ser interrumpido, a no ser que se observe algún tipo de patología. ¿Por qué? Este espacio de tiempo desencadena una serie de procesos fisiológicos entre madre y bebé que devienen clave para favorecer la lactancia materna y el vínculo afectivo entre ambos y su otro progenitor, el padre. La Estrategia de Atención al Parto Normal del Ministerio de Sanidad y Política Social apunta otros beneficios físicos para ambos: con el contacto piel con piel, los recién nacidos se recuperan más rápido del estrés, normalizan antes su glucemia, el equilibrio ácido-base y la temperatura. La secreción de oxitocina favorece la disminución del tamaño del útero de la madre.

Psicólogos y psiquiatras reclaman desde hace años la necesidad de poner todos los medios profesionales para que estas primeras relaciones se forjen en las condiciones más favorables, ya que la calidad del apego —o vínculo emocional— entre madre e hijo establece la primera base de su futuro desarrollo emocional y cognitivo. El modo de asistencia al parto puede respetar y favorecer este proceso o, por el contrario, obstaculizarlo. Cuando una mujer da a luz guiada por sus hormonas, el bebé nace alerta, pero tranquilo, y el ambiente se vuelve propicio al contacto continuo entre ambos. Algunas intervenciones, como la analgesia epidural —sobre todo, si está mal indicada— y la oxitocina sintética pueden, en cambio, inhibir el proceso y provocar que el bebé nazca demasiado dormido o irritado. Los expertos subrayan la necesidad de favorecer este contacto «piel con piel» en todos los partos, sean o no intervenidos, e incluso tras una cesárea. En este último caso, si el estado de salud de la madre no lo permite, se puede ofrecer al padre la posibilidad de tener este contacto precoz con la criatura. Siempre, y en todas las circunstancias, las investigaciones señalan la idoneidad de posponer hasta el final de este período «sensitivo» las prácticas de profilaxis ocular, peso, administración de vitamina K, entre otros cuidados pediátricos, así como su realización en presencia de sus padres, tras su consentimiento. La Declaración de Derechos del Recién Nacido, suscrita por los organismos internacionales, insta a respetar estos procedimientos, al declarar que «todo recién nacido tiene derecho a recibir los cuidados sanitarios, afectivos y sociales que le permitan un desarrollo óptimo físico, mental, espiritual, moral y social en edades posteriores de la vida. Este pequeño nuevo ser humano no podrá ser separado de sus padres contra su voluntad».

TESTIMONIOS SOBRE EL VÍNCULO AFECTIVO

Gemma Mateu,
madre de Carlota y Roger (Juià, Girona)

PARTO 1: FISIOLÓGICO EN HOSPITAL. BUENAS PRÁCTICAS

- Auscultación del latido fetal: intermitente.
- Posición durante la dilatación: deambulación libre.
- Contacto madre-recién nacido: inmediato.

PARTO 2: FISIOLÓGICO EN HOSPITAL. BUENAS PRÁCTICAS

- Auscultación del latido fetal: intermitente.
- Posición durante la dilatación: deambulación libre.
- Contacto madre-recién nacido: inmediato.

«Como parir en casa, pero con más higiene y tranquilidad.»

Gemma Mateu me salió al paso mientras andaba por el pasillo del Hospital de Santa Caterina, situado en Salt (Girona). Estaba eufórica. Había parido el día antes a su hijo Roger y quería contar su experiencia. Oyó que había llegado una periodista que estaba escribiendo un libro con entrevistas sobre el parto y enseguida se propuso como voluntaria. Gemma tiene las cosas muy claras. Sus dos partos fueron de libro y ella es una mujer consciente, informada y «casi militante», que dice asistir con preocupación a las conversaciones en las que sus amigas cuentan horrores de sus experiencias en el paritorio.

Gemma no era ninguna experta en el tema cuando se quedó embarazada de su primera hija, pero sabía que no quería un parto excesivamente medicalizado, ni cesáreas programadas, como habían pedido algunas de sus amigas. De hecho, le tocaba por proximidad otro hospital de referencia, pero llegó a sus oídos que en el centro gerundense se respetaba la voluntad de la mujer y se asistía con mucha profesionalidad. No lo dudó. Cuando se puso de parto, se presentó en urgencias, porque sabía que sólo así la admitirían.

«¿Por qué?», le pregunto. «Te dan información que en otros sitios no te proporcionan. El trato de las comadronas es muy respetuoso, pero te da muchísima seguridad. Es como parir en casa, pero con más higiene y tranquilidad.»

Insiste mucho en la profesionalidad de las comadronas, que tienen una filosofía «muy práctica» del parto. Pero es que, además, Santa Caterina es uno de los pocos centros de Cataluña donde se puede parir en el agua, en una bañera instalada al lado de las salas de dilatación. Gemma estuvo allí aliviando sus contracciones en agua caliente durante casi tres horas. De repente sintió que tenía que salir de la bañera, porque todo su cuerpo albergaba unas enormes ganas de expulsar. De sus entrañas surgió un gemido diferente al de las contracciones anteriores. Veinte minutos más tarde, nacía su primera hija.

Para la llegada al mundo de Roger, su segundo hijo, quería repetir la experiencia, pero no tuvieron tiempo de prepararle la bañera, porque llegó al hospital muy dilatada. En una sala pequeña, con la luz tenue y mucha intimidad, se puso a cuatro patas y con cuatro contracciones dio a luz al pequeño, al lado de su padre. Ella misma lo cogió enseguida y se lo puso encima. Las comadronas salieron, los dejaron solos y, al cabo de un rato, volvieron para que el padre cortara el cordón umbilical que ya había dejado de latir. Dejaron los cuidados pediátricos de profilaxis ocular, peso y administración de vitamina K para más tarde, cuando ya estaban en su habitación.

En su Plan de Parto, esta mujer, de profesión agente rural, convencida del poder de la naturaleza, había pedido que no limpiaran al bebé. Me hace observar y tocar las manos del recién nacido, con una piel tersa, lisa, de un color perfecto, ni rojizo ni amarillento. Luego me enseña unas fotos donde se puede ver a la criatura envuelta por un manto de vérnix blanco y resbaladizo. «En menos de 24 horas, sin lavarlo, él solito lo ha ido absorbiendo», observa. Sin duda, el bebé es precioso. Algunos estudios apuntan que el mantenimiento de la sustancia, sin lavar, sobre la piel de la criatura recién nacida, los protege de futuras alergias atópicas, una afección en aumento en las últimas décadas.

La llamada vérnix caseosa es una especie de crema natural y pegajosa producida en los últimos meses de embarazo y que, por su especial composición básicamente a base de agua, lípidos y células muertas de la piel, actúa como manto protector e impermeable del bebé contra infecciones y tiene otras múltiples funciones biológicas, antioxidantes y cicatrizantes. Investigadores del Hospital de Niños de Cincinnati (Estados Unidos) ya recomendaron su retención sobre la piel del recién nacido en un artículo publicado en julio de 2005 en el *Journal of Perinatology*. En 2009, científicos de la Universidad de Leiden (Suiza) llegaron a fabricar una versión sintética de esta sustancia viscosa, que podría tener aplicaciones para proteger bebés prematuros de los cambios de temperatura, la deshidratación y las infecciones, y también para restaurar la integridad de los tejidos de personas con quemaduras o cicatrices.

Llúcia Viloca,
psiquiatra, psicoanalista, supervisora de los Centros de Desarrollo Infantil y Atención Precoz (CDIAP) de Cataluña, profesora del máster sobre «Avances en la clínica psicoanalítica de la infancia y de la adolescencia» de la Universidad de Barcelona y del máster sobre «Atención precoz» de la Universidad Ramon Llull de Barcelona

«No sólo calidad, también cantidad.»

«El nacimiento es el mayor cambio al que debe enfrentarse el ser humano. Pasamos de un medio fluido, donde somos alimentados automáticamente y mantenidos en el calor del vientre, a un ambiente aéreo, frío, sin fronteras, en el que el recién nacido debe realizar sus primeras funciones físicas. Al contrario que otras especies, la humana nace extremadamente indefensa y, por este motivo, es necesario poner todos los medios para que esta transición tenga lugar de la forma más cálida posible, en un ambiente acogedor. Se ha demostrado que esta experiencia puede ser menos traumática si se recrea al máximo la situación interna, facilitando el contacto físico piel con piel con la madre, antes de cortar el cordón umbilical, y propiciando la acogida partícipe del padre.»

La psiquiatra Llúcia Viloca acumula casi cuarenta años de experiencia clínica y ha dedicado varias décadas a la supervisión de centros de salud mental en Cataluña. Para Viloca, estas primeras relaciones dependientes construyen el pilar que sustenta no sólo el desarrollo emocional del niño, sino también sus habilidades cognitivas, esenciales para cualquier futuro aprendizaje. «En brazos de la madre se organizan las redes de conexiones neuronales que conforman el apego, imprescindible para contener sus primeras ansiedades y estimular cualquier interrelación posterior», explica Viloca. Los estudios apuntan que, cuando un bebé ha podido desarrollar su tendencia innata a vincularse con su primera figura cuidadora, normalmente la madre y el padre, y ha obtenido una respuesta con sintonía y empatía de su parte, adquiere un «vínculo seguro». Esta primera estructura mental le va a permitir tolerar la incertidumbre y la frustración normales que se producen durante el desarrollo, porque las cosas y las otras personas no siempre se presentan como uno desearía. Con este bagaje, la criatura podrá buscar más adelante otros referentes que puedan ayudarlo y enseñarle, se hará curioso, tenaz y confiado con los maestros y demás adultos, y también desarrollará su pensamiento e imaginación, «porque en él ya existe la confianza de que siempre ha recibido alguna ayuda que le ha abierto el camino». Viloca insiste en que estos primeros recursos se construyen gracias a la interrelación continua en un ambiente con un referente emocional estable que le proporcione «una relación muy individualizada, específica, con mucho contacto físico y mental permanente». No es sólo una cuestión de calidad, sino también de permanencia y constancia, es decir, de cantidad. Por este motivo, la psiquiatra es muy crítica con la gestión que se hace en nuestra sociedad de la maternidad y la paternidad.

Pero ¿cómo hacer frente a semejante reto con una baja maternal de tan sólo cuatro meses? Para la psicoanalista, se debería empezar por alargar los períodos de baja maternal y lactancia y garantizar que las ratios cuidador:niño en las guarderías sean más acordes a las necesidades específicas de los menores. En las consultas de psicólogos y psiquiatras, asegura Viloca, se asiste cada día a más niños con trastornos del apego, del aprendizaje o de la atención, cuyo trasfondo se relaciona, en muchos casos, con las primeras carencias debidas a esta falta de atención individualizada.

La neurociencia ha determinado la vigencia de estas teorías en el laboratorio, al confirmar que los niños desarrollan unos circuitos de conexiones neuronales en relación con el ambiente en el que viven durante los primeros tres años de vida, que quedan fijados e influyen en sus conductas futuras. Así, algunos estudios han hallado alteraciones en los niveles de cortisol —hormona relacionada con el estrés— en niños que asisten muchas horas a guarderías, durante sus primeros años de vida, o que presentan una falta de referente emocional suficientemente estable. Estas alteraciones marcarían un patrón neurobiológico que influiría en la regulación de los neurotransmisores y podría facilitar, entre otras, una tendencia a la depresión. «Esta afectación de los niveles de cortisol no se observó en niños cuidados en el ambiente familiar, por una o pocas personas, que actúan como referentes emocionales estables en el tiempo y constantes en la interrelación. Descubrimientos como éste pueden proporcionarnos muchos recursos a la hora de defender las necesidades del niño, sin olvidar, asimismo, que también hay niños cuidados exclusivamente por sus madres que desarrollan un trastorno psicológico grave, porque los factores que intervienen siempre son múltiples y, entre ellos, tiene mucho peso la constitución de la criatura.» Por otro lado, añade Viloca, conocemos experiencias en las que, precisamente gracias al apoyo de las educadoras en una guardería, se ha generado un buen vínculo emocional madre-hijo. El apego seguro no es una cuestión de «todo o nada», pero existen medidas como las indicadas que, sin duda, lo favorecen, lo estimulan, lo posibilitan. «La dedicación a edades tempranas es una inversión en la salud mental futura de nuestros hijos», concluye la psiquiatra.

El psicólogo británico John Bowlby formuló la llamada Teoría del Apego, después de trabajar en instituciones con niños huérfanos, privados de la figura materna. Su tesis fundamental es que el estado de seguridad, ansiedad o temor de un niño viene determinado en gran medida por la accesibilidad de la respuesta de su principal referente emocional: en general, la madre. En otros mamíferos también se observa este mecanismo evolutivo de búsqueda de la proximidad del progenitor, como base para la protección y continuidad de la especie. A partir de las investigaciones del psicólogo británico, realizadas en los años cincuenta, las primeras relaciones emocionales del bebé con su entorno son reconocidas científicamente como fundamentales para el desarrollo sano de la personalidad del niño. En 1954, la OMS publicó el trabajo de Bowlby *Soins maternels et santé mentale* y, desde entonces, esta institución internacional promueve y fomenta los planes preventivos que tienen en cuenta la vinculación afectiva del recién nacido con la madre.

TESTIMONIOS SOBRE LACTANCIA

Marta San Martino Pomés,
madre de Oriol y Roc (Barcelona)

PARTO 1: HOSPITAL PRIVADO DE BARCELONA

- Auscultación del latido fetal: continua.
- Posición durante la dilatación: decúbito supino (tumbada).
- Contacto madre-recién nacido: inmediato.

PARTO 2: INDUCIDO EN HOSPITAL PRIVADO DE BARCELONA

- Auscultación del latido fetal: intermitente.
- Posición durante la dilatación: deambulación libre.
- Contacto madre-recién nacido: inmediato.

«En buenas manos»

Psicóloga clínica, especializada en adopciones y maltrato infantil, compañera de carrera universitaria y amiga desde la infancia, Marta San Martino huye de los tópicos y tiende a cuestionar las verdades absolutas. Sus hijos, Oriol y Roc, se llevan casi diez años. Sus partos tuvieron lugar en Barcelona, en el mismo centro sanitario, pero fueron muy diferentes. Con el primero, llegó al hospital bastante dilatada, con contracciones regulares. La monitorizaron de forma continua y le administraron la analgesia epidural. Cuando se la pusieron, notó un alivio enorme, pero no sintió las piernas y, en el momento del expulsivo, le practicaron una episiotomía con seis puntos de sutura. «Estuve casi un mes y medio sin poder caminar como una persona normal. Tenía mucho dolor y cada día estaba más triste», lamenta la psicóloga. Con Oriol en brazos, la subida de la leche le provocó una enorme inflamación de los pechos. Su hijo no podía agarrar ese pezón enorme; literalmente, no le cabía en la boca. Ella y su marido, Marc, emprendieron un largo peregrinaje por diversas consultas de pediatras y ginecólogos. Un pediatra les dijo que se extrajera la leche con un aparato sacaleches y se la diera al bebé con una jeringa. Así lo hizo, pero su pecho seguía aumentando de tamaño debido a la continua estimulación.

El bebé lloraba de hambre; Marta lloraba de tristeza y dolor. Asegura que «albergaba un sentido de culpa» contra el que no tenía armas para combatir. Conocedora del papel de la lactancia como facilitador del vínculo madre-hijo, por su profesión de psicóloga clínica, su decepción se iba haciendo cada día mayor. Ahora que puede establecer un balance comparativo, Marta asegura que la vivencia del parto de Oriol no tuvo nada que ver con la de Roc. En el segundo caso, diez años más tarde, «todo fue muy diferente, gracias sobre todo a la actitud de acompañamiento, empatía y positivismo» del equipo que la atendió. El parto de Roc fue provocado con oxitocina sintética a las 40 semanas de gestación, pero Marta pudo deambular libremente y, gracias al acompañamiento continuo de su marido y de la comadrona, le pusieron la analgesia epidural cuando ya estaba muy avanzada en la dilatación. Se la dosificaron de tal manera que, al llegar al expulsivo, pudo empujar, porque sentía las piernas. No hizo falta practicarle ninguna episiotomía, sólo tuvo un pequeño desgarro interno, de apenas un punto. Salió del paritorio satisfecha, con Roc encima de su regazo, y enseguida se lo puso al pecho. Cuando subió la leche, Roc ya había aprendido cómo debía agarrarse. Ella también: nada de sacaleches, algunos antinflamatorios, el confort de una esterilla eléctrica para reducir la inflamación, tal y como le aconsejó la matrona, y mucha confianza en que esta vez sí lo conseguiría. «La vivencia del parto me dio mucha fuerza», reconoce satisfecha. Además, la animaron y le dieron instrucciones precisas: Roc ha estado lactando durante ocho meses, hasta que su madre se reincorporó al trabajo. Marta recuerda con tristeza, incluso perplejidad, cómo, diez años antes, cuando fue a visitar a su ginecólogo en ese estado de malestar general agudizado por la inflamación de los senos, el profesional le respondió: «Bueno, tanta tontería con la lactancia. Si no puedes dar el pecho, te doy una pastilla y la retiramos». Sin más. Cambió de ginecólogo, también de matrona. Roc vino al mundo con suavidad y Marta siente que estuvo «en buenas manos» en todo momento, incluso cuando la matrona le dijo que no se asustara porque el bebé llevaba una vuelta de cordón. De nuevo, retrocedemos juntas en la película de sus partos y me explica que, en ese primer parto, cuando la trasladaron al potro para el expulsivo, el obstetra le dijo enseguida que dejara de apretar, «porque era estrecha» y, a continuación, le practicó directamente la episiotomía. ¿Dejó de ser estrecha con el paso del tiempo, cuando dio a luz a Roc? Ese bebé precioso, vivo, pero tranquilo, reparó muchas heridas, y ella lo sabe.

María José Lozano,
pediatra, coordinadora del Comité de Lactancia Materna de la Asociación Española de Pediatría (AEP)

Jesús Martín-Calama Valero,
pediatra del Hospital Obispo Polanco de Teruel y coordinador nacional de la Iniciativa Hospitales Amigos de los Niños (IHAN)

Luis Ruiz,
pediatra en un centro de asistencia primaria de Castelldefels (Barcelona) y vocal de Salud Materno-Infantil del Comité Unicef-Cataluña

Lactancia materna, ¿cómo? y ¿cuándo?

Una de las primeras dudas de cualquier madre primeriza se refiere a la lactancia. ¿Cómo favorecerla? ¿Cómo evitar las tan temidas grietas o la mastitis? ¿Hasta cuándo dar el pecho? Amamantar es un acto instintivo para el recién nacido, pero no para la madre, que debe afrontar un montón de dudas sobre la posición más apropiada, la duración de las tomas o sobre su propia capacidad. Los expertos advierten que, habitualmente, ni en las consultas ni en los hospitales se da la información o se siguen las dinámicas apropiadas para favorecer la lactancia materna. Y no se trata de una cuestión menor: la OMS y la AEP recomiendan sólo lactancia materna hasta los seis meses y «continuar el amamantamiento junto con las comidas complementarias adecuadas hasta los dos años o más». Hay cada vez mayor número de datos científicos que demuestran el papel de la lactancia materna en la prevención de infecciones y otras enfermedades futuras, como la obesidad, el asma, las alergias, la hipertensión arterial o el desarrollo de hipercolesterolemia, pero también sobre el desarrollo emocional y cognitivo del bebé. Por otro lado, las investigaciones también señalan que el cáncer de mama y ovario, así como la osteoporosis, son menos frecuentes en las mujeres que amamantaron a sus hijos. La pediatra María José Lozano, coordinadora del Comité de Lactancia Materna de la AEP, insiste en que estos beneficios «son más evidentes cuanto más prolongada es la lactancia». Sin embargo, explica Lozano, todavía hay demasiada facilidad para suplementar con biberones y, en general, en las consultas, «se ofrecen pocas soluciones ante las dificultades».

El también pediatra Jesús Martín-Calama Valero, coordinador de la IHAN, añade en este sentido que «los pediatras saben muchísimo sobre los oligosacáridos de la leche materna, los ácidos grasos de cadena larga, los oligoelementos, la prevención de alergias o enfermedades cardiovasculares, pero saben poco del manejo práctico de la lactancia y de la forma de solucionar los problemas más frecuentes, como los problemas del pezón de las madres, el llanto del niño o la dificultad del agarre». Para contribuir a una lactancia exitosa, la AEP editó en el año 2008 un manual para pediatras con una serie de recomendaciones, cuyo resumen, a continuación, puede ser de gran ayuda para muchas madres:

Respetar el período «sensitivo». Las dos primeras horas de vida son de suma importancia para conseguir instaurar una lactancia materna exitosa y prolongada. ¿Por qué? La literatura científica explica que, en esos primeros 50 a 120 minutos después del nacimiento, se produce un período de alerta tranquilo y muy sensitivo generado por la descarga durante el parto de dos hormonas, la oxitocina y la noradrenalina, que facilitan el reconocimiento temprano del olor materno. Además, los pechos no están todavía llenos de leche. Guiado por el olfato, el bebé trepa por el abdomen buscando el pezón y se produce un agarre perfecto. Esta facilidad con que se produce la primera toma proporciona seguridad a la madre y hace que la leche suba antes y de forma gradual. Así, cuando las mamas se llenan de leche, el bebé ya ha aprendido a mamar.

Dar el pecho a demanda. «¿A demanda o cada tres horas?» Ésta resulta ser casi siempre una de las primeras preguntas que hacen todas las madres en las consultas de los pediatras. Hasta hace poco se aconsejaba pautar las tomas siguiendo un orden horario. Actualmente, la AEP recomienda dar el pecho a demanda, sin que esta expresión implique tener todo el día al bebé «enganchado» al pecho y utilizando el pezón como sustituto del chupete. Durante las primeras semanas de vida, la producción de leche se va adaptando a las necesidades del bebé, de manera que pronto las tomas se van regulando sin necesidad de reloj. «Cuando hay un buen agarre, es difícil que estén más de treinta minutos», aclara Luis Ruiz, vocal de Salud Materno-Infantil del Comité Unicef-Cataluña. Este pediatra de un centro de asistencia primaria en Castelldefels insiste en que es muy importante que la madre no sienta la más mínima molestia mientras da el pecho. El agarre perfecto —con la boca bien abierta, el pezón apuntando a su nariz y situado en la parte posterior de su boca, entre el paladar blando y la lengua— es clave para evitar grietas y mastitis y conseguir que el bebé quede saciado.

Nada de diez minutos por pecho. Hay que dejar que el niño vacíe bien el pecho, a su ritmo, insisten los expertos. La eficacia del vaciado depende de la correcta posición de la boca y de la potencia de la succión. «Los bebés que succionan con poco entusiasmo pueden necesitar más tiempo, mientras que los grandotes hambrientos vacían el pecho en pocos minutos», insiste Jesús Martín-Calama Valero, pediatra del Hospital Obispo Polanco de Teruel y coordinador de la IHAN, en el capítulo «Mitos sobre la lactancia materna» del *Manual de lactancia materna* de la AEP. La leche del principio suele ser más aguada, para calmar la sed, y la del final contiene más grasas y nutrientes. En todos los casos, el bebé debe tomar la leche del final, más rica en grasas. Para conseguir que el niño coja peso, no hace falta dar siempre los dos pechos en cada toma; es más importante asegurar que, al menos, un pecho queda vacío.

Casi todas las madres tienen buena leche. «Mi hijo no coge peso» o «mi leche no es buena». Son dos de las frases que anuncian el fin de la lactancia; pero «casi todas las hipogalactias [escasez de leche] vienen por una mala práctica», asegura Ruiz. La leche se produce con el estímulo de succión. Por lo tanto, cuando hay una crisis de lactancia, la solución es tan sencilla como ponerse el bebé al pecho más a menudo.

Mi madre no tenía leche, seguro que yo tampoco. «Hasta el momento, en las mujeres sanas sin trastornos hormonales ni enfermedades conocidas, no se ha identificado ninguna causa de hipogalactia que sea transmisible. Tampoco es cierto que las mujeres con poco pecho tengan menos leche», subraya Martín-Calama Valero. Las diferencias en el tamaño de las mamas dependen más de la cantidad de grasa que del tejido glandular y no tiene relación con la producción de leche. Existen diferencias en la capacidad para almacenar leche que se compensan con la frecuencia de tomas. Muchas madres temen no tener suficiente leche cuando tienen gemelos. Los expertos insisten en que se trata sobre todo de una dificultad de organización del tiempo y de cansancio. A menudo, es más una cuestión de contar con el soporte doméstico necesario.

Un estudio auspiciado por la IHAN de la OMS y Unicef, publicado en el año 2008 en la revista *Archives of General Psychiatry*, evidenció efectos positivos de la lactancia materna exclusiva y prolongada sobre el desarrollo cognitivo de los lactantes a la edad de 6,5 años. Sobre una muestra de 17.046 niños, los autores hallaron medias muy superiores en las escalas de inteligencia y en las habilidades en lectoescritura en niños que habían sido amamantados exclusivamente hasta los tres meses y con alimentación complementaria hasta los doce. Otras dos investigaciones publicadas en revistas especializadas avalan la premisa sobre la igualdad en la calidad de la leche materna, excepto en casos de extrema desnutrición. En una, compararon un grupo de madres de Gambia con otro del Reino Unido, y en la otra, mamás suecas con etíopes, y llegaron a la misma conclusión: sólo había algunas diferencias en la cantidad de vitaminas y grasas, pero la leche era de calidad similar en ambos casos.

8.2. Nacer antes de tiempo. La acción terapéutica del Método Canguro

Avances médicos sin precedentes, acaecidos antes del cambio de siglo, han permitido aumentar la tasa de supervivencia de los bebés nacidos con muy bajo peso y una edad de gestación por debajo incluso de las 30 semanas. Pero la investigación científica ha comprobado que, por regla general, los grandes prematuros presentan menor supervivencia a largo plazo, menor nivel educativo, menor capacidad reproductiva y mayor incidencia de prematuridad en la descendencia (*JAMA*, 2008). Se calcula que un 80% de los nacidos antes de las 33 semanas tienen alteraciones en la sustancia blanca del cerebro, que luego podrían limitar el desarrollo escolar normal. Ahora, con todos estos resultados en la mano, la misma ciencia impulsa a los profesionales a ir un paso más allá y ha creado una metodología de trabajo, cuyo objetivo radica en conseguir el ambiente más idóneo para reducir este lastre sobre sus posibilidades de desarrollo futuro.

La metodología NIDCAP despliega toda una serie de medidas para mimar las condiciones ambientales, tanto física como mentalmente, de estos pequeños seres humanos que pasan sus primeros días de vida en las unidades de Neonatología de los hospitales. Son los llamados CCD, que ya se aplican actualmente en los hospitales españoles, y que permiten, por ejemplo, que una madre o un padre pueda sostener a su hijo prematuro mientras se le administra una sonda nasogástrica. Rebajar la intensidad de las luces y los ruidos en torno a las incubadoras; implantar un protocolo de mínima manipulación y medidas para el confort y el control del dolor; fomentar el contacto piel con piel entre madre e hijo, padre e hijo, y poner todos los medios para que la lactancia natural sea posible en estos casos son otras de las medidas que están transformando la fisonomía de estas UCIN. Para implantarlas e implicar a los padres, los profesionales se han visto obligados a cambiar muchas de sus rutinas, pero los resultados avalan sus efectos beneficiosos no sólo sobre la función pulmonar, el comportamiento alimentario, el crecimiento y la menor duración de la hospitalización de los recién nacidos prematuros, sino también sobre su desarrollo neuronal.

«Entre las 24 y las 37 semanas de gestación se producen cuarenta mil nuevas sinapsis por segundo y los cuidados centrados en el desarrollo están mejorando la calidad de estas conexiones neuronales», afirma Carmen Rosa Pallás, jefa de servicio de Neonatología del Hospital Universitario 12 de Octubre de Madrid, y coordinadora, junto con Josep Perapoch, del Hospital Vall d'Hebron de Barcelona, del llamado Proyecto Hera, que tiene como objetivo formar a los profesionales y conseguir la óptima implantación de esta metodología, ya sistematizada, en las UCIN españolas. En 2008, Hera —que recibe el nombre de la mujer de Zeus, protectora de la familia— aglutinaba más de cuarenta centros sanitarios del estado español.

Carmen Rosa Pallás,
jefa de servicio de Neonatología del Hospital Universitario 12 de Octubre de Madrid

«Somos mamíferos, pero nos comportamos como los pájaros.»

Era el verano de 2001, Carmen Rosa Pallás, neonatóloga con una larga experiencia, viaja a Dinamarca para ampliar su formación. Un día del mes de julio, esta profesional de mirada bondadosa y risueña observa perpleja cómo las enfermeras de la unidad de Neonatología de un hospital danés vacían tres boxes de intensivos para trasladar la cama de una madre, todavía en proceso de reanimación tras una cesárea, al lado de la incubadora de su hijo prematuro. La doctora Pallás pregunta al jefe de servicio por qué provocan tanto revuelo por pocas horas, ya que se prevé que la madre se recupere pronto. «No es un tema médico, sino de derechos humanos», le responde el médico danés. Pallás queda «sorprendida, casi estupefacta». «Semejante proceder va más allá de lo nunca practicado en España», observa Pallás, a pesar de que en la unidad de Neonatología del Hospital Universitario 12 de Octubre de Madrid, que ella dirige, ya hace años que se respira la filosofía de los CCD.

«En este país hemos conseguido en las últimas décadas algunos de los mejores índices de mortalidad neonatal y perinatal del mundo, pero las líneas de trabajo han estado muy centradas en las mejoras tecnológicas. Ahora que hemos resuelto estos retos, con buenos resultados, podemos mirar por fin más allá de la tecnología», asegura Pallás. Pero cambiar rutinas, como abrir las UCIN a los familiares durante las 24 horas del día, requiere una transformación de la mentalidad y de la forma de trabajar de los profesionales implicados que está siendo acogida con entusiasmo, pero también con algunas reticencias. La razón parece, de entrada, comprensible, ya que, según la neonatóloga, «sigue habiendo una cierta percepción de riesgo no controlado, producto de una larga trayectoria centrada en la tecnología».

La sensibilidad del profesional en el trato con padres y recién nacido es una cualidad humana que se respira cuando se pasea, al lado de esta jefa de servicio, por los pasillos de su unidad de Neonatología. Algunas imágenes valen su peso en oro: se puede ver cómo personas mayores o padres de otros niños, todos voluntarios, se abren la camisa y hacen el Método Canguro a bebés prematuros dados en adopción, hasta que lleguen sus futuros padres.

Al lado de Carmen Pallás se respira una potente mezcla de ciencia y humanidad. Sabe mucho de neonatos, también de partos. Asegura que es el momento de poner en sintonía todo lo bueno que ha conseguido la tecnología, con un cambio profundo en el trato y la confianza entre padres y profesionales. La hago volver al ejemplo de Dinamarca, también modelo en la asistencia al parto: «Estamos en un proceso de reflexión. Cada cultura tiene su visión de la medicina y toma de decisiones sobre la salud. La nuestra es más paternalista. Seguramente, el camino recorrido en España, con décadas centradas en la tecnología, era el único posible en nuestro caso».

El relato de su testimonio podría terminar aquí, pero nunca olvidaré algunas de las frases que me regaló sobre la naturaleza del vínculo que se establece entre madre e hijo tras el nacimiento y las posibilidades del Método Canguro al respecto: «El vínculo es una de las experiencias humanas más complejas que existen y todavía queda mucho por estudiar sobre el tema, pero lo que sí sabemos es que no surge espontáneamente y que precisa del contacto físico. ¿Qué queda por demostrar?».

La jefa de servicio de Neonatología del 12 de Octubre es hija de veterinario. De pequeña, lo acompañaba a menudo en sus visitas profesionales: «Somos mamíferos, pero nos comportamos como los pájaros».

Nuria Herranz,
enfermera asistencial de la UCIN del Hospital Universitario Gregorio Marañón de Madrid

«Cuidados "revolucionarios"»

«Antes, un bebé pretérmino podía despertarse hasta doscientas veces al día. El contacto piel con piel con su madre y otros cuidados están mejorando mucho sus patrones de sueño. Además, los padres ganan seguridad y todo ello les permite vincularse mejor con sus hijos, un aspecto decisivo para su futuro desarrollo emocional.»

Nuria Herranz, enfermera asistencial de la UCIN del Hospital Universitario Gregorio Marañón de Madrid, habla con pasión de las posibilidades de los CCD. Los considera «revolucionarios» y asegura que los profesionales de la enfermería albergan un interés creciente por implantarlos en las unidades de Neonatología. «Nos permiten regresar a la esencia de nuestro trabajo, que es atender a las personas de forma individualizada», dice Herranz.

Pero esta enfermera también afirma que, de forma paralela a lo que ocurre en la asistencia al parto, la aplicación de esta metodología de trabajo implica una redistribución de los poderes en las unidades y una mejora en la comunicación entre profesionales de las distintas áreas implicadas —enfermería, pediatría, neonatología— y un mayor esfuerzo personal, que sólo puede proporcionar la formación. Pero los resultados son gratificantes para todos, bebés, padres y profesionales.

Un trabajo con bebés prematuros médicamente sanos nacidos entre las semanas 28 y 33, realizado por dos equipos de la facultad de medicina de la Universidad de Harvard y de la Universidad de Ginebra, halló una mejoría en el desarrollo estructural del cerebro constatable a través de la técnica de resonancia magnética en los prematuros tratados siguiendo la metodología que despliega este tipo de cuidados, la NIDCAP.

Según un estudio comparativo realizado con el apoyo de la Fundación Europea para la Ciencia y presentado en 2008, España e Italia se situarían en el furgón de cola en la aplicación de estos cuidados, a pesar de que la literatura científica ya hace años que los avala como muy beneficiosos para el desarrollo de los bebés prematuros.

La Carta Europea de Derechos del Niño Hospitalizado recoge expresamente el derecho del niño «a estar acompañado por sus padres o por la persona que los sustituya, el mayor tiempo posible durante su permanencia en el hospital no como espectadores pasivos, sino como elementos activos de la vida hospitalaria».

9

¿Quién decide? El protagonismo de madres y padres

Glosario

Ley de Autonomía del Paciente. La Ley 41/2002, de 14 de noviembre, básica reguladora de la autonomía del paciente y de derechos y obligaciones en materia de información y documentación clínica es posterior a la Ley General de Sanidad de 1986 y garantiza el derecho de cualquier usuario a recibir una información adecuada a su comprensión sobre las razones, los beneficios, los riesgos y los resultados de cualquier tratamiento o práctica clínica que le permita tomar decisiones libres e informadas.

Plan de Parto y Nacimiento. Un Plan de Parto o Nacimiento consiste en un documento dirigido al centro en el que planea dar a luz en el cual la mujer embarazada dice sí, no o tal vez a determinadas prácticas habituales durante el parto y muestra sus preferencias sobre cualquier aspecto de la atención que considere importante. La mujer puede cambiar de opinión en cualquier momento, atendiendo a las circunstancias que se presenten, comunicándolo verbalmente a sus asistentes.

De pacientes a usuarias, de sujetos pasivos a protagonistas

La mayoría de las mujeres españolas dan a luz en un hospital, pero trasladarse a un centro sanitario no tiene por qué implicar que la mujer —y su acompañante—, como usuarios de un sistema de salud, se sometan y entreguen completamente a las rutinas establecidas en un protocolo y se conviertan en meros espectadores del nacimiento de sus propios hijos. Hoy no. La legislación española sobre derechos de los pacientes y usuarios de servicios de salud y los tratados internacionales sobre bioética obligan a los profesionales a informarles sobre las actuaciones que van a llevar a cabo sobre sus cuerpos y pedir su consentimiento. La negativa a aceptar determinada propuesta terapéutica no debería implicar, además, el alta forzosa cuando existan tratamientos alternativos. Las leyes también invitan a mujeres y hombres a participar y corresponsabilizarse sobre todas las decisiones que se tomen al respecto.

La Estrategia de Atención al Parto Normal en el SNS, redactada desde el Ministerio de Sanidad y Política Social, en 2007, y aprobada por el Pleno del Consejo Interterritorial, en el que participan todas las comunidades autónomas, marcó un punto de inflexión en este sentido, al especificar que, «en nuestros días, la participación activa de las mujeres para que tengan poder de decisión en cuanto a su salud implica que éstas y sus familias conozcan en profundidad el período reproductivo por el que atraviesan, se involucren en los cuidados que reciben y participen activamente en el momento del parto. Esto puede ser favorecido por medio de información adecuada, suficiente y en el momento oportuno, acerca de las mejores prácticas existentes para lograr los mejores resultados».

¿Cómo lograr este cambio de planteamiento? Igual que en muchos otros campos de la asistencia sanitaria, la información y el respeto a la decisión libre de la usuaria son la llave que conduce al éxito en estos términos. En este sentido, el documento de la Estrategia, redactado conjuntamente por un grupo de profesionales y usuarias, insiste en la necesidad de brindar a las mujeres el conocimiento necesario para que puedan decidir sobre las conductas y cuidados que deben seguir, seleccionando de acuerdo a sus preferencias, creencias y pautas culturales. Sin embargo, la experiencia indica que no basta con informar. Según este documento, «es necesario crear mecanismos institucionales adecuados para la participación efectiva de los grupos de mujeres, lo que implica un cambio sustantivo en los modelos actuales de atención».

La Ley 41/2002, de 14 de noviembre, básica reguladora de la autonomía del paciente y de derechos y obligaciones en materia de información y documentación clínica garantiza el acceso de cualquier usuario del sistema sanitario español a una información que debe ser «completa», considerando las razones, los beneficios, los riesgos y los resultados; «oportuna a las necesidades de las mujeres»; «comprensible con relación al lenguaje y al momento en que se da y disponible en el formato adecuado».

Sólo de esta forma las futuras madres van a poder asumir la autonomía necesaria para decidir sobre los tratamientos o las prácticas que consideran idóneas en su caso. La Estrategia insiste, además, en tener en cuenta la realidad multicultural y las circunstancias de las que provienen las mujeres embarazadas, así como las dificultades de comunicación existentes. La información que reciban las personas discapacitadas debe ser, asimismo, adaptada a sus capacidades físicas, intelectuales o sensoriales.

¿Y los padres? ¿Qué peso tienen y qué función deberían tener durante la asistencia al embarazo y al parto? El papel del padre tiene poco protagonismo. A menudo, se les deja presenciar el nacimiento, pero su derecho a la información y coparticipación con las mujeres en las decisiones necesarias durante un proceso de parto y nacimiento permanece alejado de los focos de atención. La propia Estrategia asume que, «en numerosas cartillas de salud de la embarazada de diferentes comunidades, la información que se registra del padre, más que enfocada a la parte coprotagonista del proceso de embarazo, va dirigida a explorar "factores de riesgo", en la medida en que sus antecedentes de enfermedades pueden repercutir en el feto, o en la medida en que su presencia o ausencia puede afectar a la gestante o al contexto social en que se desarrolla el embarazo dentro de las instituciones sanitarias». Los expertos instan a replantear los estereotipos construidos alrededor de los hombres y las mujeres sobre su capacidad de participación en el proceso de nacimiento de un hijo, más allá del acto fisiológico que supone. También subrayan la necesidad de acercarse a los hombres desde los servicios sanitarios, no sólo como parejas de las mujeres, o como espectadores pasivos de un proceso, sino como personas con su propia historia reproductiva.

9.1. Lo que dice la ley. Autonomía e información para las mujeres de parto

Francisca Fernández,
abogada, asesora jurídica de la asociación El Parto es Nuestro

«El derecho a permitir o no cualquier intervención corresponde en exclusiva a la mujer.»

La gran mayoría de las mujeres embarazadas no cuestionan los tratamientos que reciben durante el trabajo de parto. Por lógica, piensan que son los profesionales de los centros sanitarios los encargados de indicarles cómo dar a luz de la forma más segura y satisfactoria posible. Sin embargo, muchas de ellas descubren con sorpresa, tras experimentar un parto inducido o una cesárea, que estas intervenciones entrañaban riesgos, tanto para ellas mismas como para sus bebés. En buena parte de estos casos, las usuarias se dan cuenta entonces de que nadie las informó sobre sus efectos secundarios, ni sobre la existencia de alternativas a algunas prácticas clínicas a las que las sometieron.

«Pongamos un ejemplo: el del uso de la oxitocina sintética», dice Francisca Fernández, abogada especialista en bioética. «Pocas veces se advierte a la gestante que esta hormona artificial, utilizada para acelerar el parto, puede incrementar su dolor de forma exponencial, aumentando así la demanda de analgesia epidural, la cual, a su vez, requiere una auscultación continua del latido fetal y puede enlentecer el parto y provocar la inhibición del reflejo de pujar en el período expulsivo. Con esta cadena de intervenciones, el riesgo de parto instrumentado y cesárea se hace mayor.»

¿Tienen las parturientas derecho a negarse a una cascada de intervenciones de este tipo? ¿Pueden obligarlas a firmar el alta si no se someten a una de las rutinas establecidas en el protocolo del centro donde las atienden? ¿Cómo y cuándo deberían informarles al respecto de las posibilidades y las distintas alternativas existentes en la asistencia a un parto normal? Todas estas cuestiones tienen respuesta.

«Hay un tipo de decisiones que corresponden al médico. Por ejemplo, como administrador de bienes públicos, le corresponde decidir si un usuario tiene derecho a una prestación determinada, como una intervención o un medicamento. El médico tiene también derechos-obligaciones, como negarse a realizar intervenciones que considere mala práctica médica y sociosanitaria. Dicho esto, el derecho a permitir o no, a aceptar o no, intervenciones o actuaciones médicas, corresponde en exclusiva a la mujer. A veces, estos aspectos se entienden mal: se dice que lo que la ley contempla es que se deben "consensuar" o "acordar" los cuidados o prácticas con los profesionales. Pero no es así. Siendo muy deseable, desde luego, que las usuarias puedan dialogar con los profesionales, ha de quedar claro que el poder de decisión sobre las intervenciones que se les propongan es de ellas. Esto, que no debería despertar ninguna duda en una sociedad democrática, en España, las despierta constantemente. La Ley 41/2002, de 14 de noviembre, dice literalmente en el artículo 2.3: "El paciente o usuario tiene derecho a decidir libremente, después de recibir la información adecuada, entre las opciones clínicas disponibles". Este derecho se intenta sabotear de todas las formas posibles, en el caso de las parturientas, con la coartada de la "buena relación" médico-paciente.

Esta deseable "buena relación", o se basa en el respeto a los derechos de la mujer, o no tiene nada de "buena". Tener que "consensuar" sus decisiones con médicos y comadronas implicaría una renuncia de derechos discriminatoria y éticamente injustificable. Buena es aquella relación que permite a la mujer ejercer su derecho a consentir o rechazar las propuestas de los profesionales, un derecho que tenemos reconocido, como cualquier usuario, en la ley.»

«Pero, en principio, los profesionales actúan por el bien de las usuarias...», apunto. «Este argumento me parece falaz. El bien universal no existe. Sólo la propia persona puede decidir qué es el bien para sí. Para unas mujeres, el bien consiste en parir en un ambiente muy tecnificado y rodeadas de personal, de forma rápida y con analgesia epidural, porque eso les da seguridad. Para otras, en cambio, el bien sería mantener el control de su cuerpo en todo momento, reducir al mínimo los fármacos e intervenciones y disfrutar de intimidad y tranquilidad. Un buen sistema de atención maternoinfantil debería permitir a las mujeres decidir sobre estos aspectos con información veraz, completa y adecuada a su situación personal y necesidades, procurando que vea satisfechas sus expectativas y prioridades.»

Fernández, que es socia fundadora y asesora jurídica de la asociación El Parto es Nuestro, asegura que todos estos argumentos establecidos por ley deberían posibilitar que la mujer siga siendo atendida, aunque decida que no le practiquen una rutina o rechace un tratamiento, pero «en muchos hospitales españoles se están violando a diario estos derechos». De forma parecida, para que las mujeres puedan tomar semejantes decisiones, necesitan elementos para distinguir entre las opciones existentes. Pero, en España, insiste Fernández, la mayoría se halla en una situación de indefensión, porque no se les informa adecuadamente sobre «la finalidad, la naturaleza, los riesgos y las alternativas» de estas intervenciones, tal y como exige la legislación vigente.

El marco jurídico prevé que la capacidad para elegir entre distintas alternativas —por ejemplo, la postura que desea para parir, que la monitorización sea continua o intermitente, deambular o permanecer tumbada, entre otras— sólo esté limitada por la disponibilidad de la opción escogida y la buena praxis.

«La calidad de la asistencia implica, además de, por supuesto, tasas de supervivencia y morbilidad excelentes, otros aspectos, como que las instalaciones sean adecuadas, se respeten la intimidad y las decisiones de la mujer, la buena acogida y trato a la familia, la no separación madre-hijo y el cumplimiento de protocolos actualizados, conformes a la mejor evidencia científica, entre otros factores. Pero todos estos parámetros son muy deficientes en la mayoría de los hospitales españoles, y sólo unos pocos, aunque afortunadamente cada día más, los cumplen.»

El derecho a la intimidad tampoco se respeta en muchos centros, sobre todo en los universitarios. «Es frecuente ver que en muchos paritorios españoles las puertas están abiertas y las mujeres tienen que dar a luz en presencia de personas no adscritas a su cuidado directo, a veces con menoscabo de la presencia de los acompañantes elegidos por ellas.» Con este proceder y otros parecidos, como dejar que los estudiantes efectúen tactos vaginales de forma frecuente a las parturientas o les realicen intervenciones con la única finalidad de aprender la técnica, «se viola la intimidad física y moral de la usuaria, pero también su dignidad», añade Fernández. El artículo 10 de la Ley General de Sanidad reza que todo paciente tiene derecho a «ser advertido de si los procedimientos de pronóstico, diagnóstico y terapéuticos que se le apliquen pueden ser utilizados en función de un proyecto docente o de investigación, que, en ningún caso, podrá comportar peligro adicional para su salud y que, en todo caso, será imprescindible la previa autorización, y por escrito, del paciente y la aceptación por parte del médico y de la dirección del correspondiente centro sanitario». «El hecho de que estemos en un hospital universitario no representa una excepción a este principio, básico para entender la dignidad de una persona como derecho a no ser utilizada para los fines de otros, por muy loables que nos parezcan», explica Fernández, que añade que las leyes y tratados internacionales sobre bioética y derechos humanos sitúan la dignidad del ser humano por encima del interés exclusivo de la sociedad o la ciencia.

«En Inglaterra, cuando una mujer está dando a luz en una sala o en una habitación de hospital, se cierran las puertas y el que quiera entrar, aparte de tener una buena justificación, debe llamar antes a la puerta y pedir permiso.»

La Ley General de Sanidad prevé que todo paciente tiene derecho a solicitar su historial médico. En la página web de la asociación El Parto es Nuestro, el apartado «Conoce tus derechos», redactado por la abogada Francisca Fernández, ofrece toda la información al respecto. Se recomienda, por ejemplo, realizar una petición por escrito, enviando una carta por correo al Servicio de Atención al Paciente del hospital. Fernández insiste en que «no hay que dar explicaciones, ni justificar por qué se pide» y que, si en un plazo razonable, de unos veinte días, no se ha recibido respuesta, se puede dirigir una carta al director territorial o consejero de Sanidad de la comunidad autónoma de residencia y al Defensor del Paciente y Agencia de Protección de Datos reclamando su mediación, entre otras acciones.

La información ampliada se puede consultar en página web de la asociación El Parto es Nuestro, en el apartado «Conoce tus derechos»: http://www.elpartoesnuestro.es

---

Juan Siso Martín,
doctor en Derecho Público, profesor de Derecho Sanitario en la facultad de ciencias de la salud de la Universidad Rey Juan Carlos de Madrid

«El grado de evolución de una sociedad se mide por el papel que la mujer asume en ella.»

Juan Siso Martín es doctor en Derecho Público y profesor de la facultad de ciencias de la salud de la Universidad Rey Juan Carlos. Accede a contestar a mis preguntas con sumo interés, pero prefiere hacerlo a través de correo electrónico, por escrito. Cuando termina su redacción, me escribe la frase del titular: «El grado de evolución de una sociedad se mide por el papel que la mujer asume en ella». Asegura que es una reflexión que leyó hace algún tiempo y que no ha podido olvidar. «Creo que no necesita comentario», concluye este docente de Derecho Sanitario. Pero, para entender cómo esta expresión ha llegado a tener semejante peso en el discurso de un experto en la materia, vale la pena no omitir ni una coma de sus respuestas, que transcribo a continuación.

—Doctor Siso, ¿qué es el consentimiento informado?

—El documento que firma el paciente y se incorpora a la historia clínica, como prueba de que ha sido informado y de que consiente la acción clínica propuesta, prefiero llamarlo «información para consentir». El propósito de este documento es aportar al paciente aquel conocimiento que le permita decidir y en tal sentido consentir (o disentir como lógico reverso de la posibilidad mencionada en primer lugar). Como figura jurídica, tiene unas notas muy particulares. Lo introdujo en España la Ley 14/1986, General de Sanidad, como derecho del paciente en determinadas circunstancias. La particularidad reside en el hecho de que las leyes votadas en nuestro Parlamento son siempre el eco y la respuesta legislativa a asuntos preexistentes y funcionantes en la sociedad, precisados de una regulación y seguridad jurídicas. Así ha ocurrido, por ejemplo, con la regulación del divorcio o del aborto, en 1981 y 1986, respectivamente. Aquellas realidades sociales se venían dando, aun sin la normación que precisaban, y que por esta necesidad realmente obtuvieron. La exigencia del consentimiento y su introducción en la práctica asistencial no eran, sin embargo, una práctica habitual en el medio clínico. Por el contrario, su inclusión en la ley mencionada pilló desprevenidos a responsables sanitarios y operadores del Derecho. Los primeros documentos de consentimiento informado, tras la exigencia legal mencionada, abundaban en tintes pretendidamente garantistas para el sistema sanitario, frente a eventuales reclamaciones de los pacientes. El modelo vertical y paternalista de ejercicio de la medicina, vigente durante siglos, aún no estaba del todo superado.

»Para concluir, quiero dejar constancia que la importancia de este instrumento legal reside en que la voluntad del paciente, en el momento de ejercerla, se encuentre suficientemente ilustrada para abordar la decisión. Dicho acto es una muestra de la autonomía y ésta se asienta en la dignidad de la persona. Fíjese si es relevante el cuidado que debe prestarse a la información para consentir. Es habitual la entrega al paciente del documento, con el sólo objeto de que lo firme, sin las necesarias explicaciones adicionales, y así, a modo de "peaje", pasar a la acción clínica propuesta, en el entendimiento por parte del medio sanitario de que consentimiento equivale a conformidad sin matices, llevando la interpretación de ésta mucho más allá de su alcance real. Está extendida la creencia, entre algunos pacientes y entre algunos sanitarios también, de que una vez obtenida la firma del documento desaparece la posibilidad de reclamar ante un eventual daño sanitario. En modo alguno es ésta la consecuencia jurídica; por lo tanto, una vez suscrito el documento, si sobreviene un daño al paciente que éste no tenga obligación de soportar, emerge la responsabilidad sanitaria.

—¿Existe en la práctica clínica y en la sociedad española una visión paternalista de la medicina?

—En efecto, aún quedan vestigios de esa concepción vertical de ejercicio de la práctica asistencial, en la que, bajo una visión paternalista, el profesional decide por el paciente. Esta orientación utiliza como piedra angular el llamado «principio de beneficencia», en la certeza de que quien sabe lo que al paciente conviene es el profesional sanitario y ello le legitima para decidir por él. Hoy, la práctica clínica se concibe bajo el criterio de autonomía del paciente y es dicho principio, y no el de beneficencia, el que cobra especial relieve en la relación asistencial. De hecho, la ley vigente, en la que se recoge este criterio, recibe precisamente el nombre de Ley de Autonomía del Paciente. Este giro ha sido uno de los hitos más importantes en la modernización de la práctica clínica; el paso, en definitiva, de un modelo biomédico a otro de humanización de la asistencia. Hay que tener cuidado, no obstante, para que el péndulo que se encontraba en un lado no se nos vaya de golpe al otro. Quiero decir que es un avance notorio el insertar el ejercicio autónomo del paciente en la referida relación, pero conviene no olvidar que la toma de decisiones ha de hacerse en concurso con los profesionales sanitarios. En el anterior modelo era reprobable la decisión que tomaba el profesional sin el paciente, y ahora, si extremamos la postura autonomista y el paciente decide sin el profesional, será muy independiente, pero poco sensato. Para concluir con la respuesta, quiero dejar constancia del valor que se da a la autonomía del paciente en el momento actual. Recordamos casos como el de Inmaculada Echevarría, quien solicitó, como es sabido, que se la dejara morir mediante el cese del uso terapéutico sobre su persona, o la negativa de los Testigos Cristianos de Jehová a recibir transfusiones de sangre y hemoderivados. En ambos casos, el criterio es de aceptación, bajo ciertas condiciones, naturalmente, de la autonomía de la persona. Creo que esta realidad evidencia el respeto actual a los valores de los que hablo.

—¿Tiene, acaso, un relieve excesivo el profesional sanitario en esta relación con el usuario o paciente?

—Déjeme que traiga una imagen cinematográfica en el recuerdo de todos. Me refiero al camarote de los Hermanos Marx. Ésa puede ser la apariencia, hoy en día, del escenario sanitario. En tiempos pasados, allí solamente se encontraban el profesional sanitario y su paciente. En el momento actual, además de esos dos sujetos, podemos ver a la administración sanitaria, la industria farmacéutica, las aseguradoras e incluso a los padres, cuando es un menor el sujeto asistido. Vivimos un momento de tecnolatría en el sentido de que las aplicaciones técnicas y la tecnología, en general, adquieren un valor desmedido. El profesional sanitario es la persona que, por su formación y ocupación, maneja esta tecnología y por ello adquiere un protagonismo indiscutible, aunque a veces llega a eclipsarle la propia máquina que maneja. En el concreto campo de la obstetricia, le voy a mencionar un ejemplo: si, en un parto, se dio un problema y no se usó el ecotono cardiógrafo, de inmediato se atribuirá la causalidad del problema a dicha carencia; pero si fue utilizado, el origen del daño se buscará en que se hizo un uso indebido de la máquina o una interpretación incorrecta de sus registros. Hasta tal extremo llega esa tecnolatría que le digo. No cabe duda de que el parto, como es conocido y he recogido con anterioridad, es un hecho fisiológico natural y que, en términos generales, ni es un proceso patológico, ni la mujer en esa situación es una paciente, mientras no haya proceso anormal. En esa concepción es evidente que el profesional sanitario no debe ser un sujeto tan activo e interviniente como en situaciones que tengan una patología de base. Las corrientes actuales se mueven, precisamente, hacia un parto menos medicalizado y un control creciente por parte de las mujeres, en realidad las protagonistas de esta historia. Fue en los años ochenta del pasado siglo cuando un clamor femenino reclamaba un parto menos intervencionista. El resultado fue que la propia OMS, en un protocolo de 1985, y la realidad de países como Holanda, Inglaterra o los nórdicos abrieron la decidida senda actual de la actuación clínica medida. En España, la tendencia que menciono es inequívoca, y así los protocolos de la SEGO o movimientos asociativos como El Parto es Nuestro se mueven en dicha dirección de uso de una medicina expectante y menos intervencionista. Persisten, no obstante, vestigios de concepciones anteriores, como el abuso de cesáreas, la episiotomía indiscriminada, los rasurados de pubis sistemáticos o la rotura de membranas amnióticas. La dirección no obstante es clara y el propósito, decidido. Vamos viendo cómo se difuminan en el pasado prácticas consideradas casi sagradas hace pocos años. El protagonismo debe pasar del profesional a la mujer; entender este planteamiento es la clave.

En el capítulo «Cómo conversar con las mujeres y sus familias» de la *Guía para matronas y médicos sobre el manejo de las complicaciones del embarazo y el parto*, publicada por el Departamento de Salud Reproductiva e Investigaciones Conexas de la OMS en 2002, los expertos subrayan que los profesionales deberían conocer y respetar los siguientes derechos de la mujer a la que se proporcionan servicios de maternidad:

- Toda mujer que recibe atención tiene derecho a que se le informe sobre el estado de su salud.
- Toda mujer tiene derecho a hablar de los temas que la preocupan en un ambiente en el que se sienta protegida.

- Toda mujer debe ser informada con antelación sobre el tipo de procedimiento que se le va a realizar.
- Los procedimientos deben llevarse a cabo en un ambiente (por ejemplo, la sala de partos) en el cual se respete el derecho de la mujer a tener privacidad.
- Debe procurarse que la mujer se sienta lo más cómoda posible al recibir los servicios.
- Toda mujer tiene derecho a expresar sus opiniones acerca del servicio que se le presta.

El texto añade que, «cuando un proveedor conversa con una mujer acerca de su embarazo o de una complicación, debe utilizar las técnicas básicas de comunicación. Estas técnicas le ayudan al proveedor a establecer con la mujer una relación sincera, que demuestre interés e inspire confianza. Si una mujer confía en el proveedor y siente que éste se esforzará por lograr lo que es más conveniente para ella, es mucho más probable que retorne al establecimiento de salud para el parto o que venga antes si se presenta alguna complicación».

Gracia Maroto Navarro,
psicóloga, investigadora y profesora de la Escuela Andaluza de Salud Pública (EASP)

En la piel del padre

La psicóloga Gracia Maroto Navarro es una de las investigadoras que, junto con otros miembros de la EASP y el CIBER de Epidemiología y Salud Pública (CIBERESP, organismo de investigación público dependiente del Instituto Carlos III, del Ministerio de Ciencia e Innovación), analizó las expectativas y actitudes de un grupo de padres en una investigación cualitativa llevada a cabo en Granada, en el año 2004, con el fin de analizar su discurso en torno al modelo asistencial y su nivel de participación durante el parto que dio a luz a sus hijos. A continuación, se reproducen extractos de algunos de los discursos más relevantes:

«En el hospital tú eres sólo el acompañante, estás en ese sillón extraño con el cuello torcido durante dos días y ya está. A mí, como padre nunca me preguntaron nada ... Nunca me plantearon si yo estaba nervioso, si no estaba nervioso, si qué tenía que hacer, si cómo podía ayudar y cómo no podía ayudar... eso nunca se me planteó.»

«Yo era un observador, un observador detrás de una barrera porque no me dejaron hacer nada... Los padres podríamos colaborar más si desde un principio el parto se planteara de otra forma y nos enseñaran a participar.»

«No nos dejan ser como somos. No me dejaron participar en algo que me parece superpersonal y normal, ¿no? Porque si nosotros hemos decidido tener un hijo y lo vamos a criar tanto el uno como el otro, pues si yo puedo participar de alguna forma, cuidándole, pues me habría gustado, y si en esa habitación no porque había otras mujeres, pues en otra; pero no que me negaran ese derecho que considero yo que tengo, ¿no?»

«Por ahí tenían que empezar a reformar el tema, porque sí, se busca la igualdad, se busca ... un hombre también es capaz de cuidar de sus hijos igual que una mujer porque la mujer trabaja igual que el hombre.»

Los resultados de este estudio revelaron que, a juicio de estos hombres, el «modelo asistencial dominante no considera protagonistas a las mujeres e invisibiliza a los hombres». Los participantes entendían que, «aunque el proceso está corporalmente mediado y los servicios sanitarios coartan su participación y los prejuzgan según el rol de género asignado, siempre cabe dar apoyo y luchar por la relevancia masculina». Ahora bien, desde los servicios sanitarios, más que incentivar la participación, parecen promover la desmotivación de los ya interesados, de quienes quieren luchar por su relevancia.

Las investigadoras concluyen también que los obstáculos para la participación que descubren los padres en los servicios sanitarios son también utilizados como argumentos de su propia separación del proceso, ya que no muestran tanto una actitud proactiva como una actitud de espera a que los profesionales sanitarios les asignen un papel que desempeñar.

Maroto explica que en España existen pocos estudios acerca de la función del padre durante el proceso del nacimiento y crianza de un hijo, si bien es una línea de investigación abierta desde hace años en otros países del entorno europeo y estadounidense. Entre otros factores estudiados, se han vinculado a una mayor corresponsabilidad masculina en la crianza, la mayor implicación desde el inicio del proceso reproductivo, y específicamente la participación prenatal en el ámbito sanitario. También señala Maroto que procesos especiales de transición a la paternidad, como, por ejemplo, los de fecundación artificial o de adopción, pueden favorecer una vivencia de la paternidad más consciente.

«El modelo de corresponsabilidad en la crianza parte de un planteamiento de equidad de género reivindicado durante décadas, y aún más en la actualidad, por mujeres y hombres, pero, sobre todo, este modelo social de convivencia puede permitir a los hombres incorporar la crianza de los hijos como una experiencia vital de crecimiento y desarrollo personal, de la que han estado privados desde siempre», insiste Maroto. En los últimos años se ha normalizado en España la presencia de los hombres en el paritorio; pero, aunque algunos ya participan en el momento de pinzar el cordón umbilical o brindando apoyo emocional a la mujer de parto, Maroto asegura que todavía, en demasiados paritorios, el padre es visto «como un estorbo» por muchos profesionales. Para esta investigadora de la EASP, la excesiva medicalización que todavía rige la asistencia al parto en España no beneficia la implicación de la figura masculina en el proceso. Así como los valores y prejuicios de género, que ha heredado socialmente la atención sanitaria, colocan al hombre como figura auxiliar alejada de todo lo referente a la reproducción y crianza, también se distribuyen desigualmente los beneficios y responsabilidades sexuales para hombres y mujeres.

«En la medida en que se atienden cuerpos, se excluye a las personas, sus expectativas y capacidad de elección, y se deja en segundo término la importancia del parto como proceso social y de bienvenida de una criatura al mundo. Todavía no parecen mayoría las mujeres y los hombres que reclaman más participación en el proceso, porque la población española, en general, vive el trabajo de parto como un acontecimiento en el que se entrega el cuerpo de la embarazada al profesional, al considerar que es éste quien sabe sobre el tema, en un entorno sanitario todavía dominado por una visión paternalista de la medicina y una concepción organizativa sumamente jerárquica», explica Gracia Maroto.

Esta psicóloga está trabajando activamente para cambiar estos parámetros. Desde que la Consejería de Salud de la Junta de Andalucía la hiciera responsable del programa formativo de los cursos de humanización de la atención perinatal, organizados por la EASP y financiados a través de un convenio con el Ministerio de Sanidad y Política Social, se dedica a facilitar el avance de la atención al proceso de parto y nacimiento hacia un modelo asistencial más humanizado.

«¿Qué actitudes trabajan en estos cursos?», pregunto. «Intentamos marcar pautas para que aquellos profesionales que se dedican a la atención perinatal entiendan la necesidad de garantizar una atención basada en la mejor evidencia científica para no intervenir innecesariamente y respetar los procesos naturales, así como se pretende sensibilizar hacia una atención centrada en las usuarias, las criaturas nacidas y sus familias, garantizando el derecho a la información y la toma de decisiones compartida.»

En los años 2008 y 2009 se formaron, aproximadamente, mil cuatrocientos profesionales andaluces dedicados al parto y nacimiento, en sesenta cursos de distinta duración (de 8, 15 y 35 horas) sobre Humanización de la Atención Perinatal, Atención al Parto, Atención Neonatal y/o Habilidades de Comunicación. Maroto señala que obstetras, matronas, pediatras, auxiliares y neonatólogos salen satisfechos del aula. En las pausas se escuchan algunas expresiones significativas, como «¡Qué falta nos hace esta formación!». En el año 2010, se llevaron a cabo otros cincuenta cursos para más de mil cuatrocientos profesionales.

«Muchos padres dicen sentirse alejados durante el embarazo y la lactancia, porque son momentos corporalmente mediados, en los que perciben que su labor es la de un simple ayudante. Esto resulta un precedente para que, con posterioridad a estos momentos, el papel del padre en la crianza se viva como una experiencia prescindible», explica Gracia Maroto. La lactancia materna y toda la literatura científica existente sobre el apego y el vínculo exigen de la madre un grado de implicación muy alto, no sólo en calidad, sino también en cantidad, y algunas voces del feminismo han alertado sobre el peligro de un proceso de «renaturalización» de las mujeres que se contrapone con los derechos alcanzados hasta el momento, en el ámbito laboral y en el espacio público.

La legislación para la igualdad efectiva de hombres y mujeres determina que los derechos de conciliación de la vida familiar y laboral se reconocerán a los trabajadores y trabajadoras para fomentar la asunción equilibrada de las responsabilidades familiares. Sin embargo, muchas madres tienen problemas para ausentarse del trabajo y cumplir con sus permisos de lactancia y, en España, el período de baja maternal es mucho más corto que en otros países. El movimiento feminista, que tantos logros ha puesto en manos de las mujeres, reclama mayor implicación de la figura masculina en este proceso y previene contra los efectos perjudiciales que una jornada partida, por ejemplo, puede tener para las mujeres sobre su carrera profesional. Algunos estudios son concluyentes al respecto, pero, además, en la situación de precariedad del mercado laboral español, crece el número de mujeres profesionales que deciden hacer un «parón» para cuidar de sus hijos, ante la imposibilidad de combinar ambas tareas. El debate es complejo, pero el marco jurídico y los prejuicios culturales tampoco ayudan, porque, en la práctica, si en una empresa es mal visto que una mujer se ausente por estos motivos, todavía lo es más cuando se trata de un hombre.

Maroto opina que, en el caso de los padres, resulta menos justificable aún una dedicación «flexible» al trabajo a favor de la crianza, porque, en nuestra sociedad, tenemos poca tradición de incluir al padre como miembro activo en este ámbito. Ahora bien, los obstáculos sociolaborales para la crianza, que afectan en mayor medida a las mujeres como cuidadoras principales, «sólo pueden entenderse como la punta del iceberg», insiste la psicóloga. Sin mermar el peso específico que tienen, no pueden ser el argumento que ampare la separación de la crianza que viven muchos padres.

«La implicación ideal para mí es aquella que permite la equidad entre mujeres y hombres, la que permite a los hijos disfrutar de los beneficios de un vínculo paternofilial. Y sin duda es también aquella que permite a los hombres liberarse del corsé tradicionalmente masculino, incorporando a sus vidas la crianza de los hijos», concluye esta profesora de la EASP.

9.2. La participación, una realidad en el marco institucional

Isabel Espiga,
jefa de servicio del Observatorio de Salud de las Mujeres (OSM) del Ministerio de Sanidad y Política Social y coordinadora institucional de la estrategia de Atención al Parto Normal en el SNS

Construir el consenso

Isabel Espiga es enfermera con experiencia en atención primaria, especializada en docencia, y con larga trayectoria en diversos campos de la salud pública. Llegó al Ministerio de Sanidad en 1987, en los comienzos del desarrollo de la Ley General de Sanidad, que dio forma a nuestro sistema sanitario actual. Trabajó en proyectos internacionales como «Healthy cities / Ciudades saludables», promovido por la OMS, y también participó en la elaboración de la Ley Antitabaco 28/2005, de 26 de diciembre, actualmente en vigor. En el año 2006, recién creado el OSM —organismo de la Agencia de Calidad del Ministerio de Sanidad y Política Social—, su directora, Concha Colomer, recibió a las asociaciones de mujeres que llamaron a su puerta demandando con urgencia mejoras en la atención al parto. Desde entonces, se puso en marcha un proceso de escucha y encuentro que logró consensuar y elaborar un documento de referencia para el conjunto del sistema sanitario español: la Estrategia de Atención al Parto Normal en el SNS, de cuya coordinación institucional para la organización de los encuentros, la gestión de los recursos y el impulso de las acciones es responsable Isabel Espiga. Las diversas reuniones se orientaron a poner en común el estado de situación de la atención al parto en España, a discutir y consensuar las prácticas clínicas en función de la evidencia científica disponible, y a tener en cuenta la voz de las mujeres y las necesidades profesionales. Para ello, se ha contado con la participación de todas las organizaciones implicadas: sociedades científicas y profesionales relacionadas con la ginecología y obstetricia, la matronería y enfermería, la pediatría y neonatología, la anestesiología, y también con las organizaciones sociales y de mujeres interesadas en el tema.

—¿En qué consiste una Estrategia?

—A día de hoy, el Plan de Calidad para el SNS representa el

marco de referencia de actuación para el conjunto del sistema sanitario público español, y tiene como principios fundamentales el estar centrado en las necesidades de las personas, sean pacientes o usuarias; el estar orientado a la protección y promoción de la salud, la prevención y la investigación; el estar preocupado por el fomento de la equidad, decidido a fomentar la excelencia clínica y también la transparencia del sistema. El Plan de Calidad se estructura en grandes ejes de actuación denominados Estrategias, que contienen los objetivos y recomendaciones para la acción, como es el caso de la Estrategia de Atención al Parto Normal en el SNS, actualmente en pleno desarrollo en el conjunto del estado.

—¿Con qué recursos específicos cuenta para su desarrollo?

—Para impulsar las acciones ha contado con un presupuesto de ocho millones anuales, destinados a proyectos en las comunidades autónomas y ciudades autónomas, para mejorar la calidad de la atención recibida por las mujeres y criaturas y para la formación de profesionales. Además, se han gestionado otros recursos para impulsar estudios e investigaciones en el campo de la salud reproductiva y sobre desigualdades en salud por razón de género. También se ha puesto en marcha otros instrumentos de acompañamiento para la implantación de la Estrategia, como son la *Guía de práctica clínica para la asistencia al parto normal* y los *Estándares y recomendaciones para maternidades hospitalarias*, que se han distribuido a todos los centros y cuyo objetivo es poner a disposición de las administraciones públicas sanitarias, gestores y profesionales, los criterios para las buenas prácticas clínicas y la organización y gestión de las maternidades.

Isabel Espiga explica con orgullo que, para la elaboración

de ambos instrumentos técnicos, se ha contado con la participación de las sociedades científicas y profesionales y también de las asociaciones de mujeres, un trabajo conjunto que hasta la fecha no era nada habitual. Le pregunto por las razones de esta excepción y me explica que, para hablar de una atención de calidad, también se debe tomar en consideración la opinión de las mujeres, sus necesidades y expectativas. «Compartir la información del proceso y considerar que la toma de decisiones debe hacerse de manera conjunta, respetuosa y adecuada en cada caso, no sólo mejora el nivel de satisfacción de las mujeres, también es un instrumento útil para evitar la medicina defensiva.»

—Los ginecólogos conforman una de las especialidades médicas con mayor número de denuncias y unas pólizas de responsabilidad civil más altas. ¿Qué herramientas prevé la Estrategia para evitar un tipo de medicina defensiva?

—Además de sensibilizar y concienciar sobre este nuevo enfoque, respetuoso con el proceso fisiológico de cada mujer, se debe dotar a los profesionales de una herramienta, de un protocolo que sirva como base, en caso de denuncia, para que el juez pueda comprobar si se ha actuado correctamente. La cuestión primordial consiste en establecer un buen diálogo y confianza mutua entre la mujer y el profesional. Parece obvio que una mujer que ha sido y se ha sentido escuchada, informada, que ha podido consultar sus dudas y temores con la matrona u obstetra y que ha participado en el proceso, raramente denunciará.

—¿Qué aspecto resulta más prioritario?

—Sin duda, la formación de profesionales es clave para actualizar conocimientos sobre las prácticas clínicas basadas en la evidencia científica actual, y también para que faciliten la atención y la información adecuada a las mujeres y parejas. La formación dirigida a las matronas —profesionales idóneas para la atención a los partos normales— reforzará sus conocimientos y habilidades, a la vez que repercutirá en la seguridad e independencia profesional. La formación dirigida a los ginecólogos —que intervienen ante las desviaciones de la normalidad— debe contemplar también el respeto al enfoque fisiológico que defiende la Estrategia. Por esta razón, se vienen realizando, desde 2008, en toda España, un elevado número de cursos que, atendiendo la gran demanda profesional, queremos seguir impulsando. En la actualidad se está desarrollando un programa formativo desde el Ministerio de Sanidad y Política Social que contempla un seminario intensivo y unos talleres monográficos, con asistencia de matronas, obstetras y pediatras de todas las comunidades autónomas. Se trata de una «formación para formar», dotada de los materiales necesarios para replicar los contenidos en todo el territorio español. También se pretende alcanzar a profesionales en formación y presentar propuestas para los contenidos de los planes de estudio de las carreras universitarias implicadas. Un ejemplo es el apoyo institucional y financiero a la Iniciativa para la Humanización de la Asistencia al Nacimiento y la Lactancia (IHAN), que viene desarrollando la formación en lactancia materna dirigida a pediatras en el último año de especialidad.

—¿Está llegando toda esta labor de formación e información a la sociedad?

—Todavía llega información incorrecta a las mujeres y a la sociedad en general. Por ejemplo, está muy extendida la idea de que la medicalización del proceso del parto es un avance de las sociedades desarrolladas y es signo de garantía y seguridad. Y esto es un error. Como recoge la Estrategia, la evidencia científica actual señala algunas de las intervenciones que se realizan como innecesarias e incluso perjudiciales para la salud de la madre y la criatura, y recomienda respetar el proceso fisiológico e intervenir sólo cuando se compruebe desviación de la normalidad. Un ejemplo es la analgesia epidural, que muchas mujeres solicitan de antemano, sin conocer sus posibles consecuencias, porque nadie las ha informado. Las buenas prácticas evidencian que existen métodos alternativos para el alivio del dolor y los beneficios extraordinarios de la oxitocina segregada de forma natural por las mujeres, cuando no sienten temor, ni están expuestas a la observación e intervenciones de profesionales, y se encuentran apoyadas adecuadamente.

—¿Qué otros retos se contemplan?

—Éste es un proceso que conlleva tiempo, como todos los que implican un cambio de rutinas, de costumbres y de creencias. Pero estamos en el camino adecuado: todas las partes implicadas, y esto significa que no hay retroceso, que se trata de seguir avanzando creando espacios y herramientas de apoyo. Un ejemplo es la puesta en marcha de un repositor-buscador de buenas prácticas, que permite conocer dónde se realizan y qué aspectos desarrollan. También estamos trabajando para disponer de un modelo de Plan de Parto y Nacimiento, que permita a las mujeres expresar sus deseos, fruto de una conversación profunda con la matrona que visita durante el embarazo. Otro aspecto importante es potenciar la recogida de información de las prácticas con el consenso de los indicadores y sistemas de registro para ofrecer la transparencia del proceso, en el que estamos trabajando intensamente en la actualidad para poder realizar la evaluación de la Estrategia.

Para terminar, Isabel Espiga me cuenta que, al principio, si Concha Colomer le hubiera dado a elegir, no habría optado por este tema para trabajar en él: «He tenido dos malas experiencias en mis dos partos. Siento como que me han robado la oportunidad de poder disfrutarlas de manera natural y también me ha preocupado las consecuencias para mi hija e hijo». Y añade: «Además, tengo un mal recuerdo del paso por la maternidad durante mi formación; el trato a las mujeres me horrorizaba». Pero esta enfermera con vocación de gestora asumió el reto con empuje y ahora no cambia este trabajo por ningún otro. Se emplea con tesón poniendo mucho esfuerzo y tiempo para mejorar la situación. «Otras muchas mujeres (madres y profesionales), y también varones, lo hacen generosamente en su tiempo libre y desde sus respectivas ocupaciones; yo justamente ambas cosas puedo y debo hacerlas desde aquí, desde mi trabajo diario.»

9.3. Plan de Parto, un documento de preferencias

Francisco José Pérez Ramos,
enfermero de Pediatría y Neonatología en el Hospital Santa Ana de Motril (Granada), y coordinador del Proyecto de Humanización de la Atención Perinatal en Andalucía (PHAPA)

«Demasiadas mujeres todavía no saben que se puede parir de otra forma.»

Un Plan de Parto y Nacimiento es un documento escrito que se puede realizar por aquellas mujeres que durante el embarazo quieran manifestar sus preferencias sobre la atención que desearían recibir en el parto, el nacimiento de su hijo y la estancia hospitalaria. Si bien puede elaborarse en cualquier momento de la gestación, los expertos aconsejan hacerlo entre las semanas 28 y 32. Desde marzo de 2010, la Junta de Andalucía ofrece a las mujeres embarazadas un modelo estandarizado de Plan de Parto que incluye un apartado de Información sobre cada práctica y, a continuación, tipifica las opciones existentes, según la evidencia científica, para que la mujer elija con conocimiento de causa.

«Por supuesto pueden utilizar este o cualquier otro formulario que consideren más conveniente», explica el enfermero Francisco José Pérez Ramos, coordinador del PHAPA, proyecto al que se han ido sumando paulatinamente todos los hospitales públicos de esta comunidad autónoma, comprometiéndose de esta forma con las recomendaciones de la Estrategia de Atención al Parto Normal del Ministerio de Sanidad y Política Social. A finales de 2009, en Andalucía, ya se habían realizado más de sesenta cursos de formación sobre Atención Perinatal para adaptar las estructuras y los protocolos sanitarios al manejo fisiológico o poco intervenido del parto.

Pérez Ramos admite que se trata de un proceso en una fase de inicio lenta, pero que va a calar hondo porque «mejora la cultura profesional y se notifican mejores resultados perinatales». Según este enfermero vocacional, el modelo andaluz de Plan de Parto tiene un valor añadido porque sólo contempla aquellas rutinas que, según la evidencia científica, no obstaculizan el progreso del parto. Sin embargo, «todavía no oferta algunas prestaciones, como parir en el agua o acompañada de una doula, porque no están contempladas por el sistema público».

«Los planes de parto ya no son tan reivindicativos como antaño y eso significa que hemos avanzado, pero todavía hay demasiadas mujeres que no saben que se puede parir de otra forma», afirma Pérez Ramos.

Este documento permite respetar los deseos y preferencias de las usuarias sobre el desarrollo del parto y el nacimiento, pero no se puede entender como una planificación, en el sentido estricto del término, porque un parto es un acontecimiento impredecible, aclara Pérez Ramos. «Sin embargo, deviene un instrumento muy útil porque ofrece a las mujeres y a sus acompañantes la oportunidad de expresar sus preferencias para aquellos aspectos en los que existen alternativas igual de eficaces y seguras ... Lo importante es que padres y madres puedan decidir sobre su parto y que lo hagan con la ayuda y el asesoramiento de su matrona», insiste.

Conforme ha ido avanzando el proceso hacia la integración del modelo de parto poco intervenido en los protocolos hospitalarios, el Plan de Parto ha empezado a ser motivo de discusión. Algunos profesionales insisten en que se debe asistir a todas las mujeres desde la perspectiva fisiológica, sin que tengan que pedirlo o especificarlo. En este sentido, el modelo andaluz de Plan de Parto y Nacimiento establece que, mientras el trabajo de parto transcurra sin complicación, se evitarán prácticas rutinarias, como la lavativa o el rasurado del vello púbico, y el latido fetal se va a auscultar de forma intermitente. En cambio, contempla que la mujer embarazada pueda elegir la posibilidad de recibir el tipo de analgesia deseada, la posición para el parto, el corte del cordón y su donación, entre otras opciones. Este documento innovador forma parte de un proyecto global que pretende reevaluar el sistema y modificar los protocolos, a través de un sistema de registro eficiente y homogéneo en desarrollo.

Se imagina usted preguntando a su ginecólogo algo más allá de la típica cuestión: «¿Cuándo debo venir al hospital?». Sólo un pequeño porcentaje de mujeres se han informado a fondo y previamente a esta experiencia. La mayoría confían ciegamente en el profesional que la atiende, porque es lo mismo que haría si la fueran a operar de una hernia o una apendicitis. Cualquier paciente espera que se le atienda conforme a la última evidencia científica. ¿Por qué no hacer lo mismo cuando se va a parir? El debate está servido. Muchos profesionales defienden que los Planes de Parto deben ser tan sólo un compendio breve de algunas preferencias sobre el posparto o el acompañamiento. ¿Por qué? Las mujeres no tendrían que pedir explícitamente que se las atienda de forma correcta, conforme a los últimos avances científicos. Si tuviera usted una úlcera de estómago, ¿qué preferiría? ¿Que la curaran con antibióticos, como se hace actualmente, o que la operaran, como se hacía años atrás? Hay todavía más: la mujer de parto no es una paciente, sino una usuaria. Es así, al menos mientras no se produzcan complicaciones médicas en el proceso. Los partos de bajo riesgo o normales copan más del 80% de los casos.

10

Para saber más. Otros libros, páginas web y artículos científicos

La mayor parte de la información recogida para la elaboración de este libro proviene de entrevistas a profesionales y usuarias, realizadas entre noviembre del año 2008 y marzo de 2010. Cada día más maternidades españolas revisan sus protocolos para aplicar un modelo fisiológico de asistencia al parto normal. Entre todas ellas, se seleccionaron algunas de las más citadas como «Ejemplo de Buenas Prácticas» en la Estrategia de Atención al Parto Normal del Ministerio de Sanidad y Política Social.

Otras fuentes principales de la autora han sido los siguientes documentos de consenso o manuales científicos:

- *Cuidados en el parto normal: una guía práctica.* Grupo Técnico de Trabajo de la OMS. Departamento de Investigación y Salud Reproductiva. OMS, Ginebra, 1996.
- *Estrategia de Atención al Parto Normal*, Ministerio de Sanidad y Política Social:
  http://www.msps.es/organizacion/sns/planCalidadSNS/pdf/equidad/estrategiaPartoEnero2008.pdf
- Federación de Asociaciones de Matronas de España (FAME): http://www.federacion-matronas.org/ipn. «IniciativaParto Normal.»

- La Biblioteca de Salud Reproductiva de la OMS también pone al alcance de los usuarios manuales y documentos científicos en castellano:
  http://apps.who.int/rhl/access/es/index.html
- Las revisiones de artículos científicos publicados en castellano que se citan en este libro se pueden consultar en la Biblioteca Cochrane Plus de acceso gratuito en internet gracias a la suscripción realizada por el Ministerio de Sanidad y Política Social:
  http://www.update-software.com/BCP
- Los *abstracts* de las investigaciones científicas citadas se pueden leer también a través de la *U.S. National Library of Medicine*, en inglés:
  http://www.ncbi.nlm.nih.gov/pubmed
- Sociedad Española de Ginecología y Obstetricia (SEGO):
  http://www.sego.es/Content/pdf/20080117_recomendacion_al_parto.pdf

INTRODUCCIÓN: La historia de Isabel o por qué es más seguro respetar la fisiología del parto

Internet

- *Cuidados en el parto normal: una guía práctica.* Grupo Técnico de Trabajo de la OMS. Departamento de Investigación y Salud Reproductiva. OMS, Ginebra, 1996.
- Documentos sobre la atención al embarazo y el parto de la OMS:

http://www.who.int/making_pregnancy_safer/publications/en/index.html

- *Estrategia de Atención al Parto Normal*, Ministerio de Sanidad y Política Social:
  http://www.msps.es/organizacion/sns/planCalidadSNS/pdf/equidad/estrategiaPartoEnero2008.pdf
- Federación de Asociaciones de Matronas de España (FAME):
  http://www.federacion-matronas.org/ipn
- Observatorio de Salud de las Mujeres (OSM):
  http://www.msc.es/organizacion/sns/planCalidadSNS/e02.htm
- Sociedad Española de Ginecología y Obstetricia (SEGO):
  http://www.sego.es/Content/pdf/20080117_recomendacion_al_parto.pdf

1. Nuevos roles. Las matronas asisten el parto normal

Artículos científicos

- Becker, J. L.; Milad, M. P., y Klock, S. C. Burnout, depression and career satisfaction: cross-sectional study of obstetrics and gynecology residents. *Am J Obstet Gynecol.* 2006; 195: 1444-9.
- Bettes, B. A.; Strunk, L. A.; Coleman, H. V.; Schulkin, J. Professional liability and other career pressures: impact on obstetrician-gynaecologist career satisfaction. *Obstet Gynecol.* 2004;103(5):967-73.

- Castelo-Branco, C.; Figueras, F.; Eixarch, E.; Quereda, F.; Cancelo, M. J.; González, S. *et al.*, Stress symptoms and burnout in obstetrics and gynecology residents. *BJOG*, 2007;114(1):94-8.
- Hatem, Marie; Sandall, Jane; Devane, Declan; Soltani, Hora; Gates, Simon. Atención por comadronas versus otros modelos de atención para las mujeres durante el parto. (Revisión Cochrane traducida), en: *Biblioteca Cochrane Plus*, n.º 3, 2009. Oxford: Update Software Ltd. Disponible en: http://www.update-software.com (traducida de *The Cochrane Library*, 2008, Issue 4, art. n.º CD004667. Chichester, Reino Unido: John Wiley & Sons, Ltd.).
- Tarkka, M. T.; Paunonen, M; Laippala, P. Importance of the midwife in the first-time mother's experience of childbirth. *Scand. J Caring Sci.* 2000;14(3):184-90.

Internet

- Consejo General de Colegios Oficiales de Médicos de España:
  http://www.cgcom.org
- Federación de Asociaciones de Matronas de España (FAME):
  http://www.federacion-matronas.org/ipn
- Programa de Atención Integral al Médico Enfermo de la Fundación Galatea:
  http://paimm.fgalatea.org/cast/home_cast.htm
  http://paimm.fgalatea.org
- Royal College of Midwives. Campaign for Normal Birth:
  http://www.rcmnormalbirth.org.uk

2. El cambio social en Europa. Las mujeres se organizan en asociaciones

Internet

- Asociación El Parto es Nuestro:
  http://www.elpartoesnuestro.es
- Association for Improvement of the Maternity Services (AIMS):
  http://www.aims.org.uk
- Campaña «¡Que no os separen!» de la asociación El Parto es Nuestro:
  http://www.quenoosseparen.info
- European Network of Childbirth Associations (ENCA):
  http://www.enca.eu
- Gesellschaft für Qualität in der außerklinischen Geburtshilfe e.V. (QUAG):
  http://www.quag.de
  http://www.quag.de/content/english.htm
- Plataforma pro Derechos del Nacimiento:
  http://www.pangea.org/pdn/plataforma.html

3. Fases del parto. Respetar los tempos

Libros

- Goer, Henci, *Guía de la mujer consciente para un parto mejor*, Editorial Ob Stare, Santa Cruz de Tenerife, 2008.
- Odent, M., *Nacimiento renacido*, Ediciones Creavida, Buenos Aires, 2005.

- Smulders, Beatrijs, y Mariël Croon, *Parto seguro: Una guía completa*, Ediciones Medici, Barcelona, 2002.
- Uvnäs Moberg, Kerstin, *Oxitocina: la hormona de la calma y la sanación*, Ediciones Obelisco, Barcelona, 2009.

Internet

- Documentos sobre la atención al embarazo y el parto de la OMS:
  http://www.who.int/making_pregnancy_safer/publications/en/index.html
- *Estrategia de Atención al Parto Normal*, Ministerio de Sanidad y Política Social:
  http://www.msc.es/organizacion/sns/planCalidadSNS/pdf/equidad/estrategiaPartoEnero2008.pdf
- *Guía de asistencia al parto poco intervencionista*, del Hospital San Juan de la Cruz (Úbeda):
  http://www.matronasubeda.objectis.net/area-cientifica/guias-protocolos/PROTOCOLO_PARTO_BAJA_INTERVENCION_UBEDA.pdf
- Información sobre la episiotomía:
  http://www.episiotomia.info
- Iniciativa Parto Normal (IPN) de la Federación de Asociaciones de Matronas de España (FAME):
  http://www.federacion-matronas.org/ipn/posiciones
- Sociedad Española de Ginecología y Obstetricia (SEGO):
  http://www.sego.es/Content/pdf/20080117_recomendacion_al_parto.pdf

Artículos científicos

- Bloom, S. L.; McIntire, D. D.; Kelly, M. A.; Beimer, H. L.; Burpo, R. H.; García, M. A., *et al.* Lack of effect of walking on labour and delivery. *N Engl J Med.* 1998;339(2):117-8.
- Bodner-Adler, B.; Bodner, K.; Kimberger, O.; Lozanov, P.; Husslein, P.; Mayerhofer, K. Women's position during labour: influence on maternal and neonatal outcome. *Wien Klin Wochenschr.* 2003;115(19-20):720-3.
- Carroli, G.; Belizán, J. Episiotomía en el parto vaginal. (Revisión Cochrane traducida), en: *Biblioteca Cochrane Plus*, n.º 4, 2008. Oxford: Update Software Ltd. Disponible en: http://www.update-software.com (traducida de *The Cochrane Library*, 2008 Issue 3. Chichester, UK: John Wiley & Sons, Ltd.).
- Chalmers, B.; Mangiaterra, V.; Porter, R. WHO principles of perinatal care: the essential antenatal, perinatal, and postpartum care course. *Birth.* 2001;28:202-7.
- *Cuidados en el parto normal: una guía práctica.* Grupo Técnico de Trabajo de la OMS. Departamento de Investigación y Salud Reproductiva. OMS, Ginebra, 1996.
- Gálvez Toro, Alberto; Herrera Cabrerizo, Blanca. Sustitución de una política sistemática de episiotomía por una selectiva: es coste-efectivo este cambio. *Evidentia.* 2004;1(1).
- Gupta, J. K.; Nikodem, C. Maternal posture in labour. *Eur J Obstet Gynecol Reprod Biol.* 2000;92(2):273-327.
- Herrera, B.; Gálvez, A. Episiotomía selectiva: un cambio en la práctica basado en evidencias. *Prog Obstet Ginecol.* 2004;47(9):414-22.
- Liu, E. H.; Sia, A. T. Rates of caesarean section and instru-

mental vaginal delivery in nulliparous women after low concentration epidural infusions or opioid analgesia: systematic review. *Br Med J.* 2004;329(7460):293.

- Verspyck, E.; Sentilhes, L. Abnormal fetal heart rate patterns associated with different labour managements and intrauterine resuscitation techniques. *J Gynecol Obstet Biol Reprod (Paris).* 2008;37 Suppl 1:S56-64.
- Wei, S.; Wo, B. L.; Xu, H.; Luo, Z. C.; Roy, C.; Fraser, W. D. Early amniotomy and early oxytocin for prevention of, or therapy for, delay in first stage spontaneous labour compared with routine care. *Cochrane Database Syst Rev.* 2009;(2)CD0006794.

4. Aliviar el dolor. De menos a más

Libros

- Goer, Henci, *Guía de la mujer consciente para un parto mejor*, Editorial Ob Stare, Santa Cruz de Tenerife, 2008.
- *Guía Clínica Analgesia del Parto*, Minsal, Santiago de Chile, 2007.
- Leboyer, Frédérick, *Por un nacimiento sin violencia*, Altafulla, Barcelona, 1974.
- Odent, Michel, *El bebé es un mamífero*, Mandala Ediciones, Madrid, 1990.
- Odent, Michel, *La cientificación del amor*, Ediciones Creavida, Buenos Aires, 2001.
- Odent, Michel, *Nacimiento renacido*, Ediciones Creavida, Buenos Aires, 2005.

- Uvnäs Moberg, Kerstin, *Oxitocina: la hormona de la calma y la sanación*, Ediciones Obelisco, Barcelona, 2009.

Artículos científicos

- Aldrich, C. J.; D'Antona, D.; Spencer, J. A.; Wyatt, J. S.; Peebles, D. M.; Delpy, D. T.; *et al.* The effect of maternal posture on fetal cerebral oxygenation during labour. *Br J Obstet Gynaecol.* 1995;102(1):14-9.
- Bystrova, K.; Ivanova, V.; Edhborg, M.; Matthiesen, A. S.; Ransjö-Arvidson, A. B.; Mukhamedrakhimov, R.; *et al.* Early contact versus separation: effects on mother-infant interaction one year later. *Birth.* 2009;36(2):97-109.
- Carbonne, B.; Benachi, A.; Lévèque, M. L.; Cabrol, D.; Papiernik, E. Maternal position during labor: effects on fetal oxygen saturation measured by pulse oximetry. *Obstet Gynecol.* 1996;88(5):797-800.
- Dowswell, Therese; Bedwell, Carol; Lavender, Tina; Neilson, James P. Estimulación nerviosa eléctrica transcutánea (ENET) para el alivio del dolor durante el trabajo de parto (Revisión Cochrane traducida), en: *Biblioteca Cochrane Plus*, n.° 3, 2009. Oxford: Update Software Ltd. Disponible en: http://www.update-software.com (traducida de *The Cochrane Library*, 2009 Issue 2, Art. n.° CD007214. Chichester, UK: John Wiley & Sons, Ltd.).
- Handlin, L.; Jonas, W.; Petersson, M.; Ejdebäck, M.; Ransjö-Arvidson, A. B.; Nissen, E.; *et al.* Effects of sucking and skin-to-skin contact on maternal ACTH and cortisol levels during the second day postpartum-influence of epidural

analgesia and oxytocin in the perinatal period. *Breastfeed Med.* 2009;4(4):207-20.

- Hatem, Marie; Sandall, Jane; Devane, Declan; Soltani, Hora; Gates, Simon. Atención por comadronas versus otros modelos de atención para las mujeres durante el parto. (Revisión Cochrane traducida), en: *Biblioteca Cochrane Plus*, n.º 3, 2009. Oxford: Update Software Ltd. Disponible en: http://www.update-software.com (traducida de *The Cochrane Library*, 2008, Issue 4, art. n.º CD004667. Chichester, Reino Unido: John Wiley & Sons, Ltd.).
- Hodnett, E. D.; Gates, S.; Hofmeyr, G. J.; Sakala, C. Apoyo continuo para las mujeres durante el parto. (Revisión Cochrane traducida), en: *Biblioteca Cochrane Plus*, n.º 4, 2005. Oxford: Update Software Ltd. Disponible en: http://www.update-software.com. (traducida de *The Cochrane Library*, 2005 Issue 4. Chichester, UK: John Wiley & Sons, Ltd.).
- Huurre, A.; Kalliomäki, M.; Rautava, S.; Rinne, M.; Salminen, S.; Isolauri, E. Mode of delivery: effects on gut microbiota and humoral immunity. *Neonatology*. 2008;93(4): 236-40. Epub 2007 Nov 16.
- Odent, M. New reasons and new ways to study birth physiology. *Int J Gyanecol Obstet*. 2001;75Suppl 1: S39-45.
- Odent, M. The instincts of motherhood: bringing joy back into newborn care. *Early Hum Dev*. 2009;85(11):697-700. Epub 2009 Sep 11.
- Petersson, M.; Eklund, M.; Uvnäs-Moberg, K. Oxytocin decreases corticosterone and nociception and increases motor activity in OVX rats. *Maturitas*. 2005;51(4):426-33. Epub 2004 Dec 25.

- Simmons, S. W.; Cyna, A. M.; Dennis, A. T.; Hughes, D. Analgesia espinal y epidural combinadas versus analgesia epidural en el trabajo de parto. (Revisión Cochrane traducida), en: *Biblioteca Cochrane Plus*, n.º 4, 2008. Oxford: Update Software Ltd. Disponible en: http://www.update software.com (traducida de *The Cochrane Library*, Issue 3, 2008. Chichester, UK: John Wiley & Sons, Ltd.).
- Smith, C. A.; Collins, C. T.; Cyna, A. M.; Crowther, C. A. Tratamientos complementarios y alternativos para el manejo del dolor durante el trabajo de parto. (Revisión Cochrane traducida), en: *Biblioteca Cochrane Plus*, n.º 4, 2008. Oxford: Update Software Ltd. Disponible en: http://www.update-software.com (traducida de *The Cochrane Library*, 2008 Issue 3. Chichester, UK: John Wiley & Sons, Ltd.).
- Tarkka, M. T.; Paunonen, M.; Laippala, P. Importance of the midwife in the first-time mother's experience of childbirth. *Scand J Caring Sci.* 2000;14(3):184-90.
- Wiklund, I.; Norman, M.; Uvnäs-Moberg, K.; Ransjö-Arvidson, A. B.; Andolf, E. Epidural analgesia: breast-feeding success and related factor. *Midwifery*. 2009;25(2):e31-8. Epub 2007 Nov 5.

Internet

- Base de datos del Primal Health Research Centre de Londres:
  http://www.primalhealthresearch.com
- Página web de las Matronas del Hospital San Juan de la Cruz de Úbeda (Jaén):
  http://www.matronasubeda.com

5. ¿Dónde dar a luz? El entorno del parto

Libros

- Fernández del Castillo, Isabel, *La revolución del nacimiento*, Editorial Granica, Barcelona, 2006.
- Nursing and Midwifery Council, Midwives rules and standards, NMC, Londres, 2004.
- *Parir sin miedo. El legado de Consuelo Ruiz Vélez-Frías*, Editorial Ob Stare, Santa Cruz de Tenerife, 2009.

Internet

- Asociación Nacer en Casa:
  http://www.nacerencasa.org
- College of Midwives of British Columbia:
  http://www.cmbc.bc.ca/index.shtml
- Informe *Euro-Peristat II*:
  http://www.europeristat.com/bm.doc/european-perinatal-health-report.pdf
- Parra Marta, Ángela Müller, Pilar de la Cueva. «Arquitectura integral de maternidades», informe elaborado como material de apoyo a la Estrategia de Atención al Parto Normal en el Sistema Nacional de Salud (SNS):
  http://www.parramueller.es
- *Waterbirth International* contiene documentos y guías para la asistencia al parto en el agua de los colegios de matronas y obstetras del Reino Unido:
  http://www.waterbirth.org/

Artículos científicos

En el agua

- Cluett, Elizabeth R.; Ethel Burns. Inmersión en agua para el trabajo de parto y parto. (Revisión Cochrane traducida), en: *Biblioteca Cochrane Plus*, n.º 3, 2009. Oxford: Update Software Ltd. Disponible en: http://www.update-software.com (traducida de *The Cochrane Library*, 2009 Issue 2, Art. n.º CD000111. Chichester, UK: John Wiley & Sons, Ltd.).
- Cluett, E. R.; Nikodem, V. C.; McCandlish, R. E.; Burns, E. E. Immersion in water in pregnancy, labour and birth. *Cochrane Database Syst Rev.* 2004;(2):CD000111.
- Gilbert, R. E.; Tookey, P. Perinatal mortality and morbidity among babies delivered in water: surveillance study and postal survey. *BMJ*. 1999;319:483-7.
- Odent, M. Birth under water. *Lancet.* 1983;2(8365-66): 1476-7.

En casa

- Ackermann-Liebrich, U.; Voegli, T.; Guenther-Witt, K.; Kunz, I.; Zullig, M.; Schindler, C.; *et al.* Home versus hospital deliveries: a prospective study on matched pairs. *BMJ*. 1996;313:1313-8.
- De Jonge, A.; Van der Goes, B. Y.; Ravelli, A. C.; Amelink-Verburg, M. P.; Mol, B. W.; Nijhuis, J. G.; *et al.* Perinatal mortality and morbidity in a nationwide cohort of 529,688

low-risk planned home and hospital births. *BJOG.* 2009; 116(9):1177-84.
- Janssen, P. A.; Saxell, L.; Page, L. A.; Klein, M. C.; Liston, R. M.; Lee, S. K. Outcomes of planned home birth with registered midwife versus planned hospital birth with midwife or physician. *CMAJ.* 2009;181: 377-83.
- Wiegers, T. A.; Keirse, M. J. N. C.; Van der Zee, J.; Berghs, G. A. H. Outcome of planned home and planned hospital births in low risk pregnancies in the Netherlands. *BMJ.* 1996;313:1309-13.

6. Cesáreas. Ni una más de las necesarias

Libros

- Odent, Michel, *La cesárea: ¿problema o solución?*, La Liebre de Marzo, Barcelona, 2006.
- Olza, Ibone, y Enrique Lebrero Martínez, *¿Nacer por cesárea? Evitar cesáreas innecesarias. Vivir cesáreas respetuosas*, Ediciones Granica, Barcelona, 2005.

Internet

- Documento de trabajo sobre las variaciones en la utilización de cesáreas del ATLAS de Variaciones en la Práctica Médica en el Sistema Nacional de Salud (SNS): http://www.atlasvpm.org
- Estadísticas de partos normales, cesáreas, episiotomías, epidurales y mortalidad maternoinfantil publicadas por el gobierno de Finlandia, 2006:

http://www.stakes.fi/EN/tilastot/statisticsbytopic/reproduction/deliveriesandbirthssummary.htm

- Guía de Maternidades elaborada por la asociación El Parto es Nuestro:
  http://www.elpartoesnuestro.es
- International Cesarean Awareness Network:
  http://www.ican-online.org
- Lista Apoyo Cesáreas de la asociación El Parto es Nuestro:
  http://elistas.egrupos.net/lista/apoyocesareas
- Vaginal Birth Alter Cesarean:
  http://www.vbac.com

Artículos científicos

- Aceituno Velasco, L.; Barqueros Ramírez, A. I.; Moreno García, G.; Segura García, M. H.; Ruiz Martínez, E.; Sánchez Barroso, T.; *et al.* Protocolo para disminuir la tasa de cesáreas. *Toko-Gin Pract.* 2001;60(1):1-6.
- Bloomfield, T. Caesarean section, NICE Guidelines and management of labour. *J Obstet Gynaecol.* 2004;24:485-90.
- Calvo, Andrés; Campillo, Carlos; Juan, Miguel; Roig, Catalina; Hermoso, Juan Carlos; Cabeza, Pedro. Effectiveness of a multifaceted strategy to improve the appropriateness of cesarean sections. *Acta Obstet Gynecol Scand.* 2009;88(7): 842-5.
- Calvo Pérez, A.; *et al.* Idoneidad de las indicaciones de cesárea. Una aplicación en la gestión de la práctica clínica. *Prog Obstet Ginecol.* 2007;50(10):584-92.
- Erlandsson, K.; Dsilna, A.; Fagerberg, I.; Christensson, K.

Skin-to-skin care with the father after cesarean birth and its effect on newborn crying and prefeeding behaviour. *Birth*. 2007;34(2):105-14.

- Fabre, E.; González, N. L.; González de Aguero, R.; González, C.; Martínez, J.; *et al.* Grupo de trabajo sobre asistencia al parto y puerperio patológicos. *Manual de asistencia al parto y puerperio patológicos*. Sección de medicina perinatal de la Sociedad Española de Ginecología y Obstetricia. Zaragoza, 1999.
- Gómez Papí, A.; Baiges Nogués, M. T.; Batiste Fernández, M. T.; Marca Gutiérrez, M. M.; Nieto Jurado, A.; Closa Monasterolo, R. Método Canguro en sala de partos en recién nacidos a término. *An Esp Pediatr*. 1998;48:631-3.
- Lumbiganon, Pisake; Laopaiboon, Malinee; Metin Gülmezoglu, A.; Souza, João Paulo; Taneepanichskul, Surasak; Ruyan, Pang; *et al.* for the World Health Organization Global Survey on Maternal and Perinatal Health Research Group. Method of delivery and pregnancy outcomes in Asia: the WHO global survey on maternal and perinatal health 2007-2008. *The Lancet*. 2010;375(9713):490-9. (Se puede consultar en: http://www.pediatriabasadaenpruebas.com/2010/01/aumenta-el-numero-de-partosmediante.html)
- Nissen, E., Uvnäs-Moberg, K.; Svensson, K.; Stock, S.; Widström, A. M.; Winberg, J. Different patterns of oxytocin, prolactin but not cortisol release during breastfeeding in women delivered by caesarean section or by the vaginal route». *Early Hum Dev,* 1996, 45(2): 103-118.
- Olde, E.; Van der Hart, O.; Kleber, R.; Van Son, M. Posttraumatic stress following childbirth: a review. *Clin Psychol Rev.* 2006;26(1):1-16.

- Pistiner, M.; Gold, D. R.; Abdulkerim, H.; Hoffman, E.; Celedón, J. C. Birth by cesarean section, allergic rhinitis, and allergic sensitization among children with a parental history of atopy. *J Allergy Clin Immunol.* 2008;122(2):274-9. Epub 2008 Jun 20.
- Protocolo de la SEGO, n.° 27: Parto vaginal después de cesárea.
- Robson, M. S. Can we reduce the caesarean section rates? *Best Pract Clin Res Obstet Gynaecol.* 2001;15:179-94.
- Robson, M. S. Classification of caesarean sections. *Fetal Maternal Med Rev.* 2001;12:23-9.
- Robson, M. S.; Scudamore, I. W.; Walsh, S. M. Using the medical audit. Cycle to reduce cesarean section rates. *Am J Obstet Gynecol.* 1996;174:199-205.
- Rowe-Murray, H. J.; Fisher, J. R. Baby friendly hospital practices: Caesarean section is a persistent barrier to early initiation of breastfeeding. *Birth.* 2002;29(2):124-31.
- Ryding, E. L.; Wijma, B.; Wyjma, K. Postraumatic stress reactions after emergency caesarean. *Acta Obstet Gynecol Scand.* 1997;76(9):856-61.
- Vera, C.; Correa, R.; Neira, J.; Rioseco, A.; Poblete, A. Utilidad de la evaluación de 10 grupos clínicos obstétricos para la reducción de la tasa de cesárea en un hospital docente. *Rev Chil Obstet Ginecol.* 2004;69:219-26.

7. Partos instrumentados: fórceps y ventosas

Artículos científicos

- Johanson, R. B.; Menon, V. Extracción con ventosa versus fórceps para el parto vaginal asistido. (Revisión Cochrane traducida), en: *Biblioteca Cochrane Plus*, n.º 4, 2008. Oxford: Update Software Ltd.
- Simmons, S. W.; Cyna, A. M.; Dennis, A. T.; Hughes, D. Analgesia espinal y epidural combinadas versus analgesia epidural en el trabajo de parto. (Revisión Cochrane traducida), en: *Biblioteca Cochrane Plus*, n.º 4, 2008. Oxford: Update Software Ltd. Disponible en: http://www.update-software.com (traducida de *The Cochrane Library*, 2008 Issue 3. Chichester, UK: John Wiley & Sons, Ltd.).

8. Tras el nacimiento, en brazos de mamá

Internet

- Asociación Alianza para la Infancia:
  http://www.pangea.org/alianzainfancia/es/presentacion.html
- Asociación Española de Pediatría (AEP):
  http://www.aeped.es
- Asociación Española de Pediatría de Atención Primaria (AEPAP):
  http://www.aepap.org
- Base de datos de la página web «¡Que no os separen!»:
  http://www.quenoosseparen.info/articulos/documentacion/basedatos.php

- Iniciativa para la Humanización de la Asistencia al Nacimiento y la Lactancia (IHAN):
  http://www.ihan.es

Libros

- Brafman, A. H., *Cómo comprender a tu hijo. Una ayuda para los padres*, Editorial Albesa, Barcelona, 2008.
- Gerhardt, Sue, *El amor maternal. La influencia del afecto en el desarrollo mental y emocional del bebé*, Editorial Albesa, Barcelona, 2008.
- McKena, James, y M. F. Small, *Nuestros hijos y nosotros*, Ed. Vergara Vitae, Buenos Aires, 1999.
- Pedreira, J. L., y J. Tomàs, *Puericultura, vulnerabilidad y problemas de la maduración de los niños*, Laertes, Barcelona, 1997.

Artículos científicos

- Bystrova, K.; Ivanova, V.; Edhborg, M.; Matthiesen, A. S.; Ransjö-Arvidson, A. B.; Mukhamedrakhimov, R.; *et al.* Early contact versus separation: effects on mother-infant interaction one year later. *Birth*. 2009;36(2): 97-109.
- Eklund, M. B.; Johansson, L. M.; Uvnäs-Moberg, K.; Arborelius, L. Differential effects of repeated long and brief maternal separation on behaviour and neuroendocrine parameters in Wistar dams. *Behav Brain Res*. 2009;203(1): 69-75.

- Haubrich, K. A. Role of vernix caseosa in the neonate: potential application in the adult population. *AACN Clin Issues.* 2003;14(4):457-64.
- Hutton, E. K.; Hassan, E. S. Late vs early clamping of the umbilical cord in full-term neonates: systematic review and meta-analysis of controlled trials. *JAMA.* 2007;297(11): 1241-52.
- Moore, E. R.; Anderson, G. C.; Bergman, N. Early skin-to-skin contact for mothers and their healthy newborn infants. *Cochrane Database Syst Rev.* 2007 Jul 18;(3):CD003519.
- Rissmann, R.; Oudshoorn, M. H.; Zwier, R.; Ponec, M.; Bouwstra, J. A.; Hennink, W. E. Mimicking vernix caseosa-preparation and characterization of synthetic biofilms. *Int J Pharm.* 2009;372(1-2):59-65. Epub 2009 Jan 21.
- Sánchez Luna, M.; Pallas Alonso, C. R.; Botet Mussons, F.; Echaniz Urcelay, I.; Castro Conde, J. R.; Narbona E.; y Comisión de Estándares de la Sociedad Española de Neonatología. Recomendaciones para el cuidado y atención del recién nacido sano en el parto y en las primeras horas después del nacimiento. *An Pediatr (Barc).* 2009;71(4): 349-61 (consultar en: http://www.aeped.es/lactanciamaterna/pdf/anales_octubre09.pdf)
- Visscher, M. O.; Narendran, V.; Pickens, W. L.; LaRuffa, A. A.; Meinzen-Derr, J.; Allen, K.; *et al.* Vernix caseosa in neonatal adaptation. *J Perinatol.* 2005;25(7):440-6.
- Vogl, S. E.; Worda, C.; Egarter, C.; Bieglmayer, C.; Szekeres, T.; Huber, J.; *et al.* Mode of delivery is associated with maternal and fetal endocrine stress response. *BJOG.* 2006; 113(4):441-5. Epub 2006 Feb 20.

Sobre lactancia:

Libros

- Asociación Española de Pediatría, *Manual de lactancia materna. De la teoría a la práctica*, Ed. Médica Panamericana, Madrid, 2009.
- Wendkos y Old, *El gran libro de la lactancia*, Ediciones Medici, Barcelona, 1989.
- Wiggins, Pamela K., *¿Por qué debería amamantar a mi bebé?*, L.A. Publishing Co.

Internet

- Comité de Lactancia Materna de la Asociación Española de Pediatría (AEP):
  http://www.aeped.es/lactanciamaterna/index.htm
- Iniciativa Hospitales Amigos de los Niños de Unicef. Contiene un listado exhaustivo de Grupos de Apoyo a la Lactancia Materna:
  http://www.ihan.es
- International Lactation Consultant Association (ILCA):
  http://www.ilca.org
- La Liga de la Leche:
  http://www.laligadelaleche.es
- La Liga de la Leche Internacional:
  http://www.llli.org

Artículos científicos

- Britton, C.; McCormick, F. M.; Renfrew, M. J.; Wade, A.; King, S. E. Apoyo para la lactancia materna. (Revisión Cochrane traducida), en: *Biblioteca Cochrane Plus*, n.º 4, 2008. Oxford: Update Software Ltd. Disponible en: http://www.update-software.com (traducida de *The Cochrane Library*, 2008, Issue 3. Chichester, UK: John Wiley & Sons, Ltd.).
- Kramer, M. S.; Aboud, F.; Mironova, E.; Valinovich, I.; Platt, R. W.; Matush, L.; *et al.* for the Promotion of Breastfeeding Intervention Trial (PROBIT) Study Group. Breastfeeding and child cognitive development. New Evidence from a large randomized trial. Arch Gen Psychiatry. 2008;65(5):578-84.
- Lonnerdal, B.; Forsum, E.; Gebre-Medhin, M.; Hambreus, L. Breast milk composition in Ethiopian and Swedish mothers. II. Lactose, nitrogen and protein content. *Am J Clin Nutr.* 1976;29:1134-41.
- Prentice, A. M. Variations in maternal dietary intake, birthweight and breast-milk output in the Gambia. En: H. Aebi y R. G. Whitehead, eds. *Maternal Nutrition during Pregnancy and Lactation.* Hans Huber, Berna, 1980, pp. 167-83.
- Righard, L.; Alade, M. O. Effect of delivery room routines on success of first breast-feed. *Lancet.* 1990;336(8723): 1105-7.

SOBRE PREMATUROS:

Libros

- Aguilera, Ramón, y Ricardo Tosca, *Grandes prematuros. Análisis y experiencias en Castellón*, Ed. Universitat Jaume I de València.

Internet

- Estudios y artículos científicos publicados y traducidos al castellano por Campaña para el Contacto Precoz de la asociación El Parto es Nuestro: http://www.quenoosseparen.info
- Método Madre Canguro. Guía Práctica. Departamento de Salud Reproductiva e Investigaciones Conexas para la atención a recién nacidos prematuros. OMS, 2004: http://whqlibdoc.who.int/publications/2004/9243590359.pdf
- Proyecto Hera: http://www.proyectohera.com

Artículos científicos

- Aguayo Maldonado, Josefa. El Método Canguro como patrimonio cultural de la humanidad. Miembro del Comité de lactancia de la AEPED. Servicio de Pediatría y Neonatología, Hospital de Valme, Sevilla.
- Gómez Papí., A. Lactancia materna en prematuros.

Unidad Neonatal. Hospital Universitario de Tarragona «Joan XXIII». *Bol Pediatr.* 1997;37:147-52.

- Hack, M.; Flannery, D. J.; Schluchter, M.; Cartar, L.; Borawski, E.; Klein, N. Outcomes in young adulthood for very-low-birth-weight infants. *N Engl J Med.* 2002;346:149-57.
- Moore, E. R.; Anderson, G. C.; Bergman, N. Contacto piel-a-piel temprano para las madres y sus recién nacidos sanos (Revisión Cochrane traducida), en: *Biblioteca Cochrane Plus*, 2008, n.º 4. Oxford: Update Software Ltd. Disponible en: http://www.update-software.com (traducida de *The Cochrane Library*, 2008 Issue 3. Chichester, UK: John Wiley & Sons, Ltd.).
- Saigal, S.; Stoskopf, B.; Streiner, D.; Boyle, M.; Pinelli, J.; Paneth, N., *et al.* Transition of extremely low-birth-weight infants from adolescence to young adulthood: comparison with normal birth-weight controls. *JAMA*. 2006; 295: 667-75.
- Swamy, G. K.; Ostybe, T.; Skjaerven, R. Association of preterm birth with long-term survival, reproduction, and next generation preterm birth. *JAMA*. 2008;299:1429-36.
- Von Elm, E.; Altman, D. G.; Egger, M.; Pocock, S. J.; Gøtzsche, P. C.; Vandenbroucke, J. P., for the STROBE Inititative. The Strengthening the Reporting of Observational Studies in Epidemiology (STROBE) Statement: Guidelines for reporting observational studies. *PLoS Medicine.* 2007;4:296.
- Zeitlin, J.; Draper, E. S.; Kollée, L.; Milligan, D.; Boerch, K.; Agostino, R.; *et al.* MOSAIC research group. Differences in rates and short-term outcome of live births before 32 weeks of gestation in Europe in 2003: results from the MOSAIC cohort. *Pediatrics*. 2008;121: 936-44.

9. ¿Quién decide? El protagonismo de madres y padres

Libros

- Blázquez Rodríguez, María Isabel, *Ideologías y prácticas de género en la atención sanitaria del embarazo, parto y puerperio. El caso del área 12 de la Comunidad de Madrid*, Universitat Rovira i Virgili. Barcelona, 2009.
- Siso, Juan, *Responsabilidad sanitaria y legalidad en la práctica clínica*, Escuela Andaluza de Salud Pública, Granada, 2002.
- Siso, Juan, *et al.*, *25 años del derecho a la protección de la salud en la Constitución*, Consejería de Sanidad de la Comunidad de Madrid, julio de 2006.
- Siso, Juan. *Nuevos retos en la información a los pacientes*, ACV Ediciones, para Fundación Leucemia Linfoma. Barcelona, marzo de 2010.

Internet

- Apartado «Conoce tus derechos» de la asociación El Parto es Nuestro:
  http://www.elpartoesnuestro.es
- Consultas Boletín Oficial del Estado:
  http://www.boe.es/aeboe/consultas/bases_datos/texto_boe.php
- *Estrategia de Atención al Parto Normal*, Ministerio de Sanidad y Consumo:

http://www.msc.es/organizacion/sns/planCalidadSNS/pdf/equidad/estrategiaPartoEnero2008.pdf

- Ley 14/1986, de 25 de abril, General de Sanidad.
- Ley 41/2002, de 14 de noviembre, básica reguladora de la autonomía del paciente y de derechos y obligaciones en materia de información y documentación clínica.
- Ley Orgánica 3/2007, de 22 de marzo, para la igualdad efectiva de mujeres y hombres. BOE, n.º 71 de 23/03/2007.
- Modelo de Plan de Parto del Hospital San Juan de la Cruz de Úbeda:
  http://www.matronasubeda.objectis.net/plan-de-parto/formulario2
- Modelo de Plan de Parto y Nacimiento del Proyecto de Humanización de la Atención Perinatal en Andalucía: http://www.perinatalandalucia.es/file.php/1/PLan_partos_espanol_baja.pdf
- Observatorio de Salud de la Mujer (OSM):
  http://www.msc.es/organizacion/sns/planCalidadSNS/e02.htm

Artículos científicos

- Fägerskröld, A. A change in life as experienced by first-time fathers. *Scand J Caring Sci.* 2008;22:64-71.
- Gagnon, A. J.; Sandall, J. Educación prenatal grupal o individual para el parto, la maternidad/paternidad o ambos. (Revisión Cochrane traducida), en: *Biblioteca Cochrane Plus*, n.º 4, 2008. Oxford: Update Software Ltd. Disponible en: http://www.update-software.com (traducida de

The Cochrane Library, 2008 Issue 3. Chichester, UK: John Wiley & Sons, Ltd.).

- Navarro, M.; Castaño López, G. E.; García Calvente, M. M.; Hidalgo Ruzzante, N.; Mateo Rodríguez, I. Paternidad y servicios de salud. Estudio cualitativo de experiencias y expectativas de los hombres hacia la atención sanitaria durante el embarazo, parto y posparto. *Rev Esp Salud Pública.* 2009;83:267-78.
- Siso Martín, J. El médico, el paciente menor y los padres de éste: un triángulo que debe ser amoroso. *Rev Pediatr Aten Primaria.* 2009;11(44):685-93.
- Siso Martín, J.; López-Sáez y López de Teruel, A. Consentimiento informado. *Revista ROL de enfermería.* 2003;26 (11):25-8.
- Yárnoz, S. ¿Seguimos descuidando a los padres? El papel del padre en la dinámica familiar y su influencia en el bienestar psíquico de sus componentes». *Anales de Psicología.* 2006;22(2):175-85.

Agradecimientos

Quiero dar las gracias a todas las mujeres que me relataron las historias de sus partos, con sus ilusiones y sus tristezas, sentadas en alguna asociación, hospital, plaza, cafetería o domicilio de nuestra geografía. A la mayoría pude mirarlas a los ojos mientras me narraban sus experiencias. Con las demás, tuvimos largas conversaciones telefónicas. Gracias a todas y todos los profesionales que contestaron a mis incesantes preguntas con su tiempo, su generosidad y su saber científico. Recordaré siempre la humanidad y profesionalidad que se respira en los hospitales que visité para escribir este libro.

Cada día más maternidades españolas se apuntan a revisar sus protocolos y aplicar un modelo fisiológico de asistencia al parto normal. Por limitaciones de espacio y tiempo, no pude dar a conocer el trabajo de todas ellas y seleccioné algunas de las más citadas como Ejemplo de Buenas Prácticas en la Estrategia de Atención al Parto Normal del Ministerio de Sanidad y Política Social.

Quiero agradecer especialmente la labor de revisión del contenido científico, llevada a cabo por las siguientes personas: Rosario Quintana (Introducción y Capítulo 6), Pilar de la

Cueva (Capítulo 1), Ibone Olza (Capítulo 2), Joan Meléndez (Capítulo 3), África Caño, Alfonso Diz Villar y María Dolores Martínez (Capítulo 4), Blanca Herrera (Capítulo 5), Luis Fernández-Llebrez del Rey (Capítulo 7), Carmen Rosa Pallás, Llúcia Viloca y María José Lozano (Capítulo 8), y Francisca Fernández (Capítulo 9). También quisiera expresar mi especial gratitud a Ángela Müller, de la asociación El Parto es Nuestro, por su disponibilidad y capacidad organizativa ante mis peticiones. La ginecóloga Pilar de la Cueva estuvo siempre accesible a mis dudas sobre cualquier concepto científico y me recomendó tanto estudios como nombres de expertos que se revelaron de gran valor para la elaboración de este libro.

A Silvia Bastos y Carlota Torrents, agentes literarias, y a Laura Álvarez, editora de Random House Mondadori, les agradezco profundamente que creyeran en mi proyecto cuando no era más que un índice, un guión y un currículum. Gracias también por sus sabias recomendaciones y anotaciones sobre el texto. También quiero darle las gracias a Milagros Pérez Oliva, periodista de *El País*, porque el reportaje «El parto es nuestro. Hacia un parto menos medicalizado», publicado el 12 de abril de 2008 en el suplemento de salud de este diario, cuando ella lo coordinaba, se convirtió, sin quererlo, en la primera semilla de este libro.

Por último, deseo agradecer a mis padres, Ignasi Espar y Montse Figueras, su apoyo incondicional y su generosidad. A mi marido, compañero de vida y padre de mis hijos, Franc Arranz, le agradeceré siempre su especial capacidad para escuchar todas mis dudas y transformarlas con su incansable optimismo.

ESTE LIBRO HA SIDO IMPRESO
EN LOS TALLERES DE
LIMPERGRAF. MOGODA, 29
BARBERÀ DEL VALLÈS (BARCELONA)